Margot Blanchard

D0625924

Communication orale et apprentissage des langues

Communication orale et apprentissage des langues

par René Richterich
Conseiller pédagogique des Eurocentres

et Nicolas Scherer
Professeur à l'Eurocentre de Lausanne

PRATIQUE PÉDAGOGIQUE

HACHETTE

La loi du 11 mars 1957 n'autorisant, aux termes des alinéas 2 et 3 de l'article 41, d'une part, que les « copies ou reproductions strictement réservées à l'usage privé du copiste et non destinées à une utilisation collective », et, d'autre part, que les analyses et les courtes citations dans un but d'exemple et d'illustration, « toute représentation ou reproduction intégrale, ou partielle, faite sans le consentement de l'auteur ou de ses ayants droit ou ayants cause, est illicite » (alinéa 1er de l'article 40).

Cette représentation ou reproduction, par quelque procédé que ce soit, constituerait donc une contrefaçon sanctionnée par les articles 425 et suivants du Code pénal.

C Librairie Hachette, 1975.

REMERCIEMENTS

Nous tenons à remercier tout particulièrement Monsieur E.J.C. Waespi, directeur général des Eurocentres, qui nous a donné l'occasion, le temps et les moyens de mener à bien ce petit ouvrage. Nos remerciements vont également à la direction et au corps enseignant de l'Eurocentre de Lausanne dont les conseils, les remarques et les encouragements nous ont été très précieux. Enfin, un dernier merci aux étudiants de certains cours de l'Eurocentre de Lausanne. Grâce à eux, plusieurs activités, dans une version antérieure, ont pu être amplement expérimentées.

SOMMAIRE

Préface IX

Introduction
La communication orale 1
La communication orale dans la classe 4
Conditions d'application 6

Remarques préliminaires sur l'utilisation
des activités pédagogiques 10

Activités 1 à 11
Demander ⟶ offrir / refuser une chose,
une information, un service 14

Activités 12 à 15
Établir ⟶ maintenir / rompre un contact social .. 36

Activités 16 à 23
Relater ⟶ confirmer / démentir un fait,
un événement, une expérience 44

Activités 24 à 40
Exprimer ⟶ approuver / désapprouver une idée,
une opinion, un sentiment 60

Activités 41 à 50
Sensibilisation à la notion de situation 94

Exemples de trois activités (7, 18, 34) 115

Index 129

Bibliographie 131

Préface

En présentant au lecteur « *Communication orale et Apprentissage des Langues* » de René Richterich et Nicolas Scherer, les Eurocentres souhaitent apporter une nouvelle contribution à la formation continue des enseignants et aider ceux-ci à franchir un pas de plus dans la voie de la rénovation de l'enseignement des langues.

Les suggestions contenues dans ce petit livre devraient, du moins l'espérons-nous, susciter un regain d'intérêt pour les leçons de langue étrangère tant chez les apprenants que chez leurs enseignants et provoquer parmi ces derniers d'utiles échanges de vues sur les multiples possibilités pratiques offertes par leur exploitation.

Les 50 activités décrites par les auteurs ne suivent aucune progression imposée : elles sont susceptibles de nombreuses variantes et se prêtent à toutes les adaptations que rendraient nécessaires les besoins de l'apprentissage ou la situation pédagogique donnée.

La démarche didactique qu'elles impliquent peut fort bien se combiner, si telle est l'intention de l'enseignant, avec l'exploitation d'un centre d'intérêt (leitmotiv) grammatical de caractère communicatif. Cette combinaison offrirait l'avantage supplémentaire de sensibiliser les apprenants au passage des formes structurées de la langue vers son libre emploi.

Ainsi l'étudiant apprend effectivement la langue en liaison avec ses actes de pensée et dans un processus réel d'échanges interpersonnels.

Les résultats obtenus dans différents centres d'enseignement, et notamment à l'Eurocentre de Lausanne*, par l'intégration de ces idées à notre pratique pédagogique justifient, me semble-t-il, que nous les rendions à présent accessibles à un cercle plus large d'utilisateurs.

Erh. J.C. Waespi
Directeur de la
Fondation « Centres Européens Langues et Civilisation »
(Eurocentres)

* Centres d'enseignement des langues étrangères dans les pays même où elles sont parlées, les Eurocentres dispensent à des étrangers adultes un enseignement à temps plein. Répartis en classes à effectif réduit, les apprenants sont sollicités en permanence et sous les formes les plus diverses à participer au processus éducatif, dont l'évaluation constitue un des éléments essentiels. Dans les activités mises au point par MM. Richterich et Scherer, en même temps et plus encore qu'à une évaluation par l'enseignant, on a affaire – et ceci nous intéresse particulièrement – à une forme d'évaluation collective, la sanction linguistique étant fournie par le succès ou l'échec des contenus de l'activité, preuve que la communication est « passée » ou non.

Introduction

« On ne peut pas ne pas communiquer » (Watzlawick P., Helmick-Beavin J., Jackson D. : Une logique de la communication, Paris, Éditions du Seuil, 1972).

AVERTISSEMENT

1 Les activités pédagogiques décrites dans ce petit ouvrage cherchent avant tout à faire prendre conscience à ceux qui apprennent une langue étrangère (et peut-être aussi à ceux qui l'enseignent !) que les sons, les mots, les phrases qu'ils sont en train d'écouter, de répéter, d'imiter peuvent aussi servir à communiquer, c'est-à-dire à agir verbalement, soit, par exemple, pour obtenir quelque chose, soit pour s'affirmer vis-à-vis d'autrui, soit, encore, simplement pour établir un contact avec quelqu'un.

2 Elles ne visent donc pas seulement à faire parler les apprenants mais aussi à leur montrer que dans une situation de communication donnée, rien n'est jamais pareil après qu'on a parlé.

3 Ces activités ne se réfèrent à aucun contenu linguistique particulier ni à une catégorie spécifique de public. Décrites selon un schéma unique, elles proposent des tactiques pédagogiques assez larges et ouvertes pour que celles-ci puissent s'insérer dans les stratégies propres aux divers types d'enseignement. Il appartient par conséquent à l'enseignant de choisir les contenus en fonction de la langue qu'il enseigne, du matériel de base qu'il utilise, de l'âge et du niveau de ses étudiants.

4 En bref, il s'agit de ce qu'on nomme des activités de transfert, c'est-à-dire celles qui devraient permettre de donner d'autres dimensions à ce qu'on est en train d'apprendre ou à ce qu'on a appris.

Si un bon nombre d'entre elles sont connues et largement utilisées, ce qui nous paraît ici utile et original, c'est, d'une part leur description systématique et, d'autre part leurs applications à des fins de sensibilisation et de prise de conscience de la réalité de la communication orale.

5 Conçu comme un instrument de travail aux usages multiples, cet ouvrage devrait encourager les enseignants à varier leurs activités pédagogiques et à en inventer d'autres selon leurs situations et leurs besoins spécifiques.

1 La communication orale

Toute pédagogie repose sur une théorie, d'une part de la matière enseignée, de l'autre de l'apprentissage. Que cette théorie soit explicite ou implicite dans l'acte d'enseigner ou d'apprendre, peu importe, mais l'enseignant ne peut pas ne pas avoir une certaine attitude vis-à-vis de ses façons de faire ni une certaine conception des connaissances et des aptitudes qu'il va faire acquérir.

Nous n'avons pas la prétention de présenter ici une théorie de la communication. Le sujet est bien trop vaste et complexe. Nous nous limiterons à rappeler quelques données que des disciplines comme la sociolinguistique, l'ethnolinguistique, la pragmatique linguistique, la psychologie sociale ont mises en évidence depuis une dizaine d'années sans parvenir, toutefois, à dégager une théorie unifiée et conséquente. Nous restons dans le provisoire, l'incertain, le mouvant. Nous pensons pourtant que, malgré leur caractère d'incertitude (n'oublions pas que nous avons affaire à des problèmes et des phénomènes humains si fondamentaux, en fait le fonctionnement de la vie de l'homme en tant qu'être social, qu'ils ne sont pas près d'être résolus ni expliqués définitivement, ce qui signifierait que l'homme aurait été décrit et compris scientifiquement), ces données peuvent d'ores et déjà influencer l'enseignement d'une langue dans le sens d'une modification de l'attitude de l'enseignant et de l'apprenant vis-à-vis du phénomène langagier, modification qui pourrait se traduire immédiatement par la pratique de certaines activités.

1 . 1 Communication et action

Nous considérerons la communication orale comme un moyen dont dispose, parmi d'autres, une personne pour influencer une ou plusieurs autres personnes ou pour modifier une situation en vue de réaliser, consciemment ou non, certaines intentions.

1 . 2 Communication et interaction

Le fait d'influencer une personne provoquera chez celle-ci une réaction qui agira à nouveau sur la personne qui a pris l'initiative de la communication, et ainsi de suite. Ce va-et-vient d'action et de réaction établira entre les personnes communiquant un réseau d'interactions qui donne tout son sens à la communication et qui en constitue la structure profonde.

1 . 3 L'acte de communication

Action, réaction et interaction se traduisent, en fait, par des actes qui sont la réalisation, au moyen d'énoncés et/ou de gestes, des intentions des personnes engagées dans une situation de communication en vue d'atteindre, consciemment ou non, certains buts.

1 . 4 Composantes de l'acte de communication

L'acte de communication, que nous appellerons acte de parole lorsqu'il est réalisé par des énoncés oraux, devient ainsi une unité d'analyse et de référence qui permet de mieux rendre compte du fonctionnement d'une langue en tant que phénomène social. Mais lorsqu'on tente d'en dégager les composantes et les éléments, on se heurte immédiatement à des problèmes de terminologie et on se perd dans des énumérations intuitives interminables qui montrent, une fois de plus, combien la réalité langagière est complexe et insaisissable. Ce n'est pourtant pas une raison de ne pas chercher, encore,toujours, à cerner de plus près cette réalité qui nous est si essentielle.

Nous choisirons un niveau d'analyse très général, sans vouloir être exhaustif, simplement dans le but de mettre l'accent sur certaines caractéristiques de la communication orale et pour en tirer certaines conséquences pour l'enseignement.

Pour qu'un acte de communication se réalise, il faut d'abord qu'il y ait des

A Participants

1 Leur *identité* (sexe, âge, profession, nationalité, langue maternelle, etc.) et leur *personnalité* (position sociale, biographie, caractère, etc.) peuvent influer sur l'acte de communication. Les éléments qui peuvent jouer un rôle sont innombrables et correspondent à la diversité infinie des rapports entre êtres humains. Il conviendra donc de ne retenir que ceux qui, par rapport à un niveau d'analyse choisi, sont pertinents. Est-ce que, par exemple, le fait qu'un PDG, âgé de soixante ans, riche, puissant, célèbre tombe amoureux de sa secrétaire âgée de vingt-deux ans changera sa façon de lui donner des ordres, de lui dicter le courrier ou de la saluer ?

2 Le *nombre* des participants et les *réseaux* de communication qui s'établissent entre eux sont d'autres éléments essentiels à l'analyse. (par exemple : conversation entre deux personnes qui prennent la parole, à tour de rôle, de façon plus ou moins égale ; conversation entre deux personnes en présence d'une troisième qui n'intervient qu'épisodiquement ; une personne parlant à un groupe ; etc.)

Tout acte de communication se passe

B Dans un lieu et à un moment

A nouveau, il convient de déterminer si la composante espace/temps (moment, durée, fréquence) est pertinente pour l'analyse ou non. Est-ce que, par exemple, le même acte sera réalisé de façon identique à quatre heures du matin dans une boîte de nuit ou à huit heures du matin dans un atelier ?

Nous avons vu qu'un acte de communication orale est la réalisation, aux moyens d'énoncés verbaux, d'une intention en vue d'atteindre un but. Il remplit donc certaines

C Fonctions

Nombreuses sont les tentatives de classification des fonctions du langage. Elles sont, soit générales et rendent compte de la complexité du phénomène en quelques grandes catégories, soit spécifiques et dressent alors de longues listes de concepts et de notions. Toutes reflètent les points de vue intuitifs de leur auteur de sorte qu'on se voit obligé, lorsqu'on aborde ce problème, d'établir sa propre taxonomie en fonction de ses propres besoins. Rappelons que notre but est essentiellement de sensibiliser celui qui apprend une langue au fonctionnement du langage comme moyen de communication, c'est-à-dire, d'action. Pour ce faire, nous retiendrons les fonctions suivantes :

1 Demander (pour obtenir) ⟶ offrir/refuser
– une chose
– une information
– un service

2 Établir (parce qu'« on ne peut pas ne pas communiquer ») maintenir/rompre
– un contact social

3 Relater (pour prendre à témoin) ⟶ confirmer/démentir
– un fait
– un événement
– une expérience

4 Exprimer (pour se situer, s'affirmer) ⟶ approuver/désapprouver
– une idée
– une opinion
– un sentiment

La réalisation d'un acte se fera par un

D Canal de communication

qui sera, soit direct (émission et réception directe et instantanée) soit indirect (utilisation , pour l'émission et/ou la réception,d'un média).

Selon la situation, selon les participants, selon le développement de la communication, on aura recours à différents

E Registres de communication

qui distinguent les divers niveaux de langue possibles (langue soutenue, courante, familière, vulgaire, argot, jargon, etc.).

Enfin, l'acte de communication se traduit par des énoncés dont on peut analyser les

F Contenus

selon des points de vue phonétiques, phonologiques, morphologiques, morpho-syntaxiques, syntaxiques, sémantiques ou selon des thèmes, des sujets, des domaines, etc.

2 La communication orale dans la classe

Si l'on applique maintenant ce schéma de description à la réalité de la classe de langue pour voir comment les actes de communication peuvent s'y réaliser, on sera amené à faire les constatations générales suivantes :

A Participants

Dans la vie hors de la classe, on peut être forcé, en une journée, à communiquer avec des personnes d'identité et de personnalité fort différentes et dans des réseaux de communication variés (conversation avec plusieurs amis, avec un ou des parents, discussion avec des collègues, avec un patron, communication avec un ou des inconnus, interventions dans une réunion, etc.). Rien de tel dans la classe. Il y a toujours d'un côté l'enseignant, avec la même identité et la même personnalité, dont les humeurs peuvent parfois varier, et qui maîtrise la langue et organise toute la communication et, de l'autre, le groupe des apprenants, toujours les mêmes, qui ne savent pas bien utiliser la langue et qui ne communiquent, en général, que lorsqu'on le leur a demandé. Tout acte de communication sera donc nécessairement marqué par cette différence et cette inégalité de pouvoir d'action.

B Lieu/Moment

De même, alors que hors de la classe, on se trouvera, successivement, du matin au soir, dans des lieux très différents où l'on devra parler et écouter (maison, lieu de travail, magasin, restaurant, transports publics, etc.) pendant des durées et avec des fréquences variables, à l'école, la communication se fera toujours dans le même décor et selon un horaire fixé d'avance.

C Fonctions

Si la fonction essentielle d'un acte de communication est de réaliser des intentions en vue d'atteindre un but, on peut, hors de la classe, toujours contrôler si celui-ci a été atteint ou non, cela signifie qu'une action, qu'un acte sont toujours suivis d'une réaction, d'un résultat positifs ou négatifs. Si je demande une bière, dans un café, on me l'apporte. Si je dis bonjour à une connaissance dans la rue, elle fait de même ou ne me répond pas parce qu'elle ne m'a pas vu ou parce qu'elle est fâchée et qu'elle feint de ne m'avoir pas vu. En classe, la réalisation d'un acte de communication perd, le plus souvent, tout son contenu fonctionnel et pragmatique pour se limiter à l'audition ou à la production d'énoncés pour eux-mêmes avec le seul but de les avoir compris ou prononcés correctement. Si je commande une bière, ce n'est pas pour qu'on me l'apporte mais pour exercer une des formes de la demande.

D Canal

Suivant les possibilités techniques, les mêmes canaux peuvent être utilisés hors et dans la classe.

E Registres

C'est un fait connu que selon les interlocuteurs, selon les intentions, selon la situation, on change naturellement de registre, passant de l'un à l'autre sans même s'en rendre compte. En classe, il n'existe qu'une seule langue, qui tend, il est vrai, à se rapprocher depuis un certain temps de celle utilisée dans la vie de tous les jours, mais qui reste, néanmoins, soumise à des contraintes pédagogiques qui la neutralisent et lui interdisent toute variété de registre.

F Contenus

Dans la réalité hors de la classe, le contenu d'un acte de communication exprimé en termes de phonétique, de morphologie, de syntaxe, de sémantique n'est que le produit d'un choix fait par rapport aux différentes composantes, en classe, ce même contenu devient fin en soi.

Ce qu'il importe de retenir de ces constatations et de ces différences entre l'utilisation de la langue hors de et dans la classe, c'est, d'un côté, la diversité des situations de communication, et l'imprévu auquel on doit faire face pour les maîtriser, de l'autre, l'uniformité de la situation de communication et la programmation de la langue qu'on y utilise. Certes, tant que les systèmes d'éducation fonctionneront selon la règle des trois unités, unité de lieu : l'école ; unité de temps : la scolarité ; unité de contenu : le programme, la réalité de la classe ne correspondra que de très loin à celle de la vie. Et en attendant l'institution d'une véritable éducation permanente, on est bien obligé de trouver des prétextes pour rendre l'apprentissage d'une langue plus conforme à l'utilisation réelle qu'on en fait. C'est dans ce sens que les activités pédagogiques décrites dans ce volume ont été rassemblées.

3 Conditions d'application

Nous considérerons la classe de type classique comme donnée de base pour voir quelles sont les interventions nécessaires pour y introduire les activités proposées. Il ne s'agit en aucun cas de transformer radicalement ou de bouleverser quoi que ce soit, mais simplement de prendre quelques mesures d'organisation. Ce n'est pas le lieu, ici, de discuter toute la problématique de l'enseignement des langues vivantes telle qu'elle se pose actuellement en termes toujours plus aigus, mais nous ne pouvons nous empêcher de la rappeler par une citation, certes un peu polémique, mais qui met en évidence des questions qu'on ne peut pas toujours ignorer. « Observez un enfant qui apprend à parler ou mieux, observez un enfant de cinq ans assimiler une langue étrangère. Cet enfant vit dans un pays étranger, il a la possibilité de jouer abondamment et sans contrainte avec les enfants du voisinage, sans le moindre cours, quel qu'il soit, et vous le voyez apprendre sans effort cette nouvelle langue. Imaginez le résultat que l'on obtiendrait si l'on mettait cet enfant dans une classe, en ne l'autorisant à quitter sa place qu'en des temps réglementés, en ne lui présentant que quelques mots par séance, mots qu'il lui faudrait apprendre par cœur avant d'en aborder d'autres, en lui infligeant des exercices de prononciation, en corrigeant ses « erreurs », en lui enseignant la grammaire, en lui donnant des devoirs à la maison, en le soumettant à des interrogations de contrôle, et, pis que tout, en lui mettant dans la tête que tout ceci constitue un travail et non un amusement. Dans ces conditions, l'enfant apprendrait la langue en question avec autant de dégoût et de difficulté qu'un adolescent ou un adulte.
Si un adulte se risquait à apprendre une langue étrangère en jouant et en dialoguant de façon intensive, il ferait sans doute beaucoup plus de progrès que dans une salle de classe ordinaire, mais il n'accomplirait cependant pas la performance de l'enfant. Pourquoi ? Parce que l'adulte a déjà appris et bien appris les leçons si parfaitement enseignées par l'école traditionnelle : inhibitions, gêne, classifications, perte de toute souplesse, et surtout la conviction bien ancrée qu'apprendre est une tâche longue et pénible. » (Mc Luhan M. : *Mutations 1990*, Paris, Mame, Collection Aujourd'hui, 1969, pp. 46-47).
Oublions donc ces problèmes fondamentaux et restons-en à la « salle de classe ordinaire ». Si l'on considère celle-ci comme un système dont les éléments, enseignant, apprenants, moyens/matériel pédagogiques, environnement sont en constantes interactions, essayons de caractériser, à grands traits, quelques conditions de son fonctionnement et de proposer quelques moyens d'intervention pour que les activités de sensibilisation à la communication orale y soient praticables.

CONDITIONS

Premièrement, le nombre d'étudiants est souvent ressenti comme un empêchement majeur à toute communication orale naturelle.

Deuxièmement, ce n'est pas seulement le nombre des étudiants mais aussi le rôle que joue l'enseignant dans l'organisation de la communication à l'intérieur de la classe qui empêche celle-ci de communiquer naturellement et spontanément. « Je serais tentée de décrire la situation pédagogique traditionnelle en termes de psychologie sociale : une situation centralisée, c'est-à-dire une relation de communication entre des gens, dans laquelle un individu a un rôle privilégié au niveau et de l'émission et de la réception ; et je serais tentée de penser que c'est peut-être plus la centralisation de la communication que refusent les gens actuellement que les hiérarchisations (. . .). Beaucoup de gens disent que ce que ne supportent plus les étudiants, c'est l'autorité de l'enseignant. En fait, je pense qu'on peut continuer à avoir une fonction de compétence, à la limite d'autorité, mais ce qui n'est plus possible, c'est que quelqu'un nous impose une structure de communication dans laquelle il ait une situation privilégiée. » (*A publics nouveaux, situations pédagogiques nouvelles*, intervention de Chapuis O., in : *Vers l'an 2000*, Paris, *Le Français dans le Monde*, octobre-novembre 1973, N° 100, p. 28).

INTERVENTIONS

Au lieu de considérer la classe comme une masse formée de divers individus, il convient, d'une part, de toujours avoir en tête les diverses possibilités de réseau de communication et, de l'autre, de les organiser, de les structurer, de les varier en fonction des activités pédagogiques utilisées. On sait que le nombre des interactions virtuelles croît en progression géométrique avec celui des individus d'un groupe. Pour dix membres, par exemple, on aura 45 possibilités différentes de communiquer, pour quinze, 105, pour trente, 435. (cf. Debyser F. : *Pour mieux faire des classes de conversation*, Paris, *Le Français dans le Monde*, janvier-février 1970, N° 70, p. 11). Pour nos besoins, retenons les catégories suivantes :

Enseignant → Toute la classe
Enseignant → 1 apprenant
Enseignant → 2 apprenants
Enseignant → 1 petit groupe (3 à 6 membres)

Enseignant → Plusieurs petits groupes

1 apprenant → 1 apprenant
1 apprenant → Toute la classe

2 apprenants → Toute la classe

1 petit groupe → Toute la classe

Interactions libres entre tous les membres de la classe, y compris l'enseignant.

Interactions libres entre les membres d'un petit groupe

L'organisation des réseaux de communication consistera surtout à neutraliser le rôle centralisateur de l'enseignant pour exploiter au maximum les possibilités de communication à l'intérieur des petits groupes ou entre deux étudiants.

Troisièmement, non seulement le nombre mais aussi le manque de maîtrise de la langue de communication par les apprenants (et parfois aussi par les enseignants

On peut, tout d'abord, démontrer par maints exemples et activités qu'on peut communiquer dans de nombreuses situations avec des moyens très limités, soit avec des

dont ce n'est pas la langue maternelle), le choix limité de moyens langagiers à leur disposition gênent et perturbent les interactions à l'intérieur d'une classe de langues.

gestes, de la mimique, soit avec des mots isolés. Il convient ensuite d'oublier le tabou du recours à la langue maternelle imposé par les méthodes structuralistes et behavioristes. L'essentiel étant de prendre conscience du fonctionnement de la communication orale, il peut être efficace et motivant de voir d'abord comment cela marche dans la langue maternelle des étudiants pour essayer ensuite dans la langue étrangère. Il ne s'agit pas de traduire systématiquement mais de comparer si besoin est.

Quatrièmement, on se plaît à reconnaître que le monde de l'école est un monde clos. Avec son environnement bien particulier, isolant, la classe protège ses membres contre les obstacles, les hasards, les bruits et les fureurs de la vie. On y enseigne, on y apprend, on y donne des ordres, on y obéit dans une complicité défensive qui arrange tout le monde.

Il faut accepter une fois pour toutes que l'école n'est pas la vie, qu'elle ne peut l'être et que, tout au plus, elle n'en est qu'une partie, qu'un aspect particulier. On peut toutefois rendre cet environnement moins contraignant, plus proche de la réalité, de trois façons différentes :

– en aménageant la situation pédagogique de telle manière que les participants aient l'impression d'avoir une grande liberté de mouvement et d'action. Lorsqu'on veut favoriser la communication orale, par exemple, il importe que les interlocuteurs puissent se faire face. Il faudra, par conséquent, disposer les sièges et les tables en conséquence. Si l'on ne peut pas, pour une raison ou une autre, déplacer et arranger l'ameublement à sa guise, il est préférable que les étudiants s'asseyent sur les tables ou sur le dos de leur chaise plutôt que de rester alignés sans se voir. Il faut également accepter le bruit que fait une classe divisée en plusieurs petits groupes en discussion. Est-ce qu'un restaurant, un atelier, un bureau, un magasin sont des lieux de silence ? On peut, ainsi, simplement en organisant certains réseaux de communication à l'intérieur même de la classe, en partant non pas d'une réalité extérieure qu'on veut singer mais de la sienne propre, rendre la situation pédagogique aussi naturelle que n'importe quelle autre.

– Mais on peut aussi introduire dans le monde clos de la classe, grâce aux moyens techniques, d'autres réalités pour mieux les comprendre et pour, éventuellement, les imiter et s'en inspirer. Les moyens audio-visuels permettent d'entendre d'autres voix, de voir d'autres personnes, de comprendre d'autres situations. C'est avant tout à la présentation et à l'exploitation de matériel authentique, pris sur le vif et non pas élaboré pédagogiquement, qu'ils devraient servir. Certes, ces réalités introduites dans la classe ne sont que des simulacres, mais elles permettent au moins un premier contact à partir duquel on pourra jouer et simuler de nouveaux rôles et de nouvelles situations.

– Enfin, la classe peut s'ouvrir à l'extérieur et sortir dans la rue. Enquêtes sur le terrain, excursions, échanges, voyages, stages lui permettront de vivre réellement d'autres réalités.

Cinquièmement, le matériel pédagogique élaboré selon une programmation et une progression lexicales et grammaticales, à partir de sujets, de thèmes ou de textes choisis intuitivement par le ou les auteurs ne peut pas correspondre aux intérêts, aux besoins, aux motivations de chaque apprenant pris individuellement. De plus, il fait communiquer à partir de quelque chose d'extérieur à la classe. On ne communique pas pour réaliser des intentions, sinon celle d'apprendre, on communique à propos de sujets imposés arbitrairement. Enfin, l'obligation de devoir parler une langue étrangère à heure fixe, selon les prévisions de l'horaire et non selon les besoins de communication, est une autre contrainte difficile à supprimer dans l'état actuel des systèmes éducatifs.

Il importe de réserver des moments pendant lesquels on dépasse, on transpose, on oublie le matériel pédagogique de base. On choisira, dans la mesure du possible, les contenus (thèmes de discussion, matériel de référence, écrit, sonore, visuel) avec les étudiants, en tenant compte de leurs désirs. Ces moments peuvent être réservés, périodiquement, à la communication orale uniquement, en dehors de tout programme et sans aucune référence à un matériel pédagogique donné, ou bien ils peuvent être considérés comme des phases de transposition, de transfert, d'appropriation en relation avec un programme et du matériel.

On le voit, les interventions nécessaires à la pratique des activités de sensibilisation à la communication orale sont de portée très limitée et jouent le jeu du système-classe sans le bouleverser. Chaque enseignant peut donc les utiliser selon ses besoins, ses convictions, son programme, son horaire, ses étudiants, soit dans des moments privilégiés réservés uniquement à la communication orale et pendant lesquels on essayerait de l'« enseigner », soit dans des moments de transfert en relation avec des points précis déjà enseignés. Ce que nous lui proposons, ce ne sont pas des recettes toutes prêtes, mais un cadre ouvert dans lequel il puisse projeter sa propre imagination.

Remarques préliminaires sur l'utilisation des activités pédagogiques

1 La description de ces activités est heuristique et pédagogique. Heuristique, parce qu'elle devrait permettre à l'étudiant de découvrir certains aspects du fonctionnement de la communication orale, pédagogique, parce qu'elle devrait aider les étudiants à pratiquer la communication orale.

2 Toutes les activités sont décrites selon le même schéma. Sur une première page, on trouvera les éléments d'analyse de chaque activité :

Fonction

Quelle fonction de langage est en priorité découverte et pratiquée.

1 Demander ⟶ offrir/refuser une chose, une information, un service. (activités 1 à 11)
2 Établir ⟶ maintenir/rompre un contact social. (activités 12 à 15)
3 Relater ⟶ confirmer/démentir un fait, un événement, une expérience. (activités 16 à 23)
4 Exprimer ⟶ approuver/désapprouver une idée, une opinion, un sentiment. (activités 24 à 40)
5 Sensibilisation à la notion de situation. (activités 41 à 50)

Intention pédagogique

A quoi sert, pédagogiquement, telle activité.

Objectif global d'apprentissage

En termes généraux et non opérationnels, ce que l'apprenant devra faire.

Contenu

Nous nous sommes limités à quelques suggestions de thèmes et de sujets pour l'utilisation des différentes activités. C'est à l'enseignant, mais aussi et surtout à l'apprenant, de découvrir et d'inventer, selon ses possibilités, ses moyens, sa situation tout ce qui se trouve derrière les nombreux etc. qu'il rencontrera.

Participants

Quels sont les réseaux de communication, quelles sont les interactions que l'on va utiliser pendant les activités :

1 Enseignant ⟶ classe
2 1 apprenant ⟶ 1 apprenant
3 Groupes
4 Groupe ⟶ classe
5 Groupe ⟶ groupe
6 2 apprenants ⟶ classe
7 Enseignant ⟶ 1 apprenant
8 Classe

Lieu/Moment Toutes les activités se passent évidemment dans la salle de classe.
En ce qui concerne le moment et la durée de leur utilisation, chaque enseignant doit les choisir en fonction de son emploi du temps. Certaines ne demandent que cinq minutes, d'autres peuvent s'étendre sur une ou plusieurs séances. Il appartient à chacun d'adapter chaque activité à sa situation pédagogique, à ses moyens, à ses possibilités. Mais elles correspondent toutes, plus ou moins, à la phase que l'on nomme d'appropriation ou de transfert. On peut, toutefois, réserver certains moments privilégiés à ce que nous appelons la sensibilisation à la communication orale. (activités 41 à 50)

Canal Quels sont les modes de transmission de la communication.
1 Direct (d'individu à individu sans le recours à un moyen technique)
2 Indirect (avec l'utilisation d'un moyen technique : téléphone, radio, télévision, magnétophone, lecteur de cassettes, magnétoscope)

Registre Quel registre de langage vont utiliser les étudiants pendant les activités : soutenu, courant, familier, vulgaire.

Sur une deuxième page, on trouvera deux colonnes : la première, activités, est réservée à ce que font les étudiants, la seconde, organisation, aux mesures d'animation que peut prendre l'enseignant (mise en place de l'activité, introduction, interventions, conclusion).

3 Les activités sont numérotées de 1 à 50 et groupées selon les fonctions de langage. Une dernière section est consacrée à la notion de situation.

1 – 11 Demander ⟶ offrir/refuser une chose, une information, un service
12 – 15 Établir ⟶ maintenir/rompre un contact social
16 – 23 Relater ⟶ confirmer/démentir un fait, un événement, une expérience
24 – 40 Exprimer ⟶ approuver/désapprouver une idée, une opinion, un sentiment
41 – 50 Sensibilisation à la notion de situation

Il existe une progression dans l'ensemble de la description et à l'intérieur de chaque groupe. Mais elle n'est pas stricte ni rigide. A nouveau, chaque enseignant peut utiliser ces activités librement, selon ses besoins.

4 Celles-ci ont été conçues pour l'apprentissage d'une langue étrangère. Avec des débutants, il sera nécessaire d'avoir recours à la langue maternelle pour, progressivement, l'éliminer au profit de la langue cible. Cela ne signifie pas qu'il faille systéma-

tiquement, dans tout l'enseignement, utiliser la langue maternelle. Mais, l'essentiel étant de communiquer, il semble légitime de donner l'occasion aux débutants de le faire avec les moyens dont il dispose, c'est-à-dire en s'aidant, s'il le faut, de la langue maternelle pendant ces moments privilégiés de sensibilisation à la communication orale. Si la classe de débutants est linguistiquement hétérogène, il convient de voir quelles activités sont possibles dès le début pour introduire les autres progressivement, au fur et à mesure de l'apprentissage.
Mais elles peuvent également être utilisées dans le perfectionnement de la langue maternelle.

5 Ces activités sont des instruments de travail que chacun peut manier selon son imagination, ses possibilités, ses besoins. Elles sont décrites de façon plus suggestive qu'impérative. Que chacun y trouve une ou deux idées qu'il aimerait et qu'il va développer et réaliser, et notre but aura été atteint.

Activités pédagogiques

1 *Le dialogue « muet »*

Fonction

Demander → offrir/refuser une chose, une information, un service.

Intention pédagogique

Montrer que la parole est un moyen de communication parmi d'autres. Lorsqu'on ne sait pas, par exemple, une langue étrangère, on peut très bien réaliser certaines intentions et atteindre certains buts uniquement avec des gestes et de la mimique.

Objectif global d'apprentissage

Par des gestes et la mimique, demander, donner ou refuser une chose, une information ou un service.

Contenu

Demander du feu (en donner ou ne pas en donner).
Demander un objet qui se trouve dans la classe (le donner ou ne pas le donner). Demander d'ouvrir la fenêtre (accepter ou refuser). Demander de sortir (idem). Demander où se trouve le prochain restaurant (expliquer par gestes ou refuser).

Participants

Enseignant → toute la classe
1 apprenant → 1 apprenant
2 apprenants → toute la classe

Lieu/Moment

En liaison avec l'étude de l'interrogation

Canal

Gestes, mimique

Registre

ACTIVITÉS	ORGANISATION
	Expliquer d'abord brièvement le problème (si besoin, dans la langue maternelle) et montrer par quelques exemples comment on peut communiquer avec quelqu'un, s'exprimer et se faire comprendre uniquement à l'aide de gestes et de la mimique (gestes de douleur, mimique de l'étonnement, etc.).
Chaque groupe de 2 étudiants établit une liste d'une dizaine de demandes ⟶ offres/refus d'une chose, d'une information, d'un service au moyen de gestes et de la mimique.	Diviser la classe par groupes de 2 étudiants (si le nombre est impair, former un groupe de 3 ou, mieux, l'enseignant travaille avec l'apprenant qui reste).
Chaque groupe s'exerce à demander, offrir ou refuser les choses, les informations ou les services qu'il a choisis. Les étudiants changent périodiquement de rôle, passant de la demande à l'offre ou au refus et vice versa.	
Chaque groupe présente à la classe 2 ou 3 exemples de leurs demandes, offres ou refus.	Prier les groupes de ne présenter que des exemples qui n'ont pas encore été vus ou qui comportent des variantes. Contrôler après chaque présentation si les gestes et la mimique ont été compris correctement par la classe. (« *Qu'est-ce qu'il a demandé ?* ») Conclure par une petite discussion sur l'importance, dans la communication orale, des gestes et de la mimique, qui peuvent varier selon les pays et les cultures.

2 *Un mot, parfois, suffit*

Fonction	Demander → offrir/refuser une chose, une information, un service.
Intention pédagogique	Montrer que, souvent, il suffit de savoir prononcer ou comprendre un mot isolé, accompagné de gestes et de mimique, pour réaliser certaines intentions et atteindre certains buts de communication.
Objectif global d'apprentissage	En prononçant un ou des mots isolés, accompagnés de gestes et de mimique, demander, donner ou refuser une chose, une information ou un service.
Contenu	Demander où se trouve la gare, la plage (expliquer ou refuser par un mot). Donner un ordre avec un mot (dehors, halte, ouste). Demander un objet (gomme, dictionnaire).
Participants	Enseignant → toute la classe 1 apprenant → 1 apprenant 2 apprenants → toute la classe
Lieu/Moment	En liaison avec l'étude de l'interrogation
Canal	Direct Gestes, mimique
Registre	

ACTIVITÉS	ORGANISATION
	Exposer d'abord brièvement le problème (si besoin est, dans la langue maternelle) et montrer par quelques exemples comment, accompagné de gestes et de mimique, un seul mot peut considérablement aider à obtenir ou à donner une chose, une information ou un service ou comment un seul mot peut réaliser complètement une intention, notamment dans les ordres.
Chaque groupe de 2 étudiants établit une liste de situations dans lesquelles un mot isolé peut aider, accompagné de gestes et de mimique, à demander, donner ou refuser une chose, une information, un service.	Diviser la classe par groupes de 2 étudiants (si le nombre est impair, former un groupe de 3 ou, mieux, l'enseignant travaille avec l'apprenant qui reste).
Chaque groupe s'exerce à demander, donner ou refuser les choses, les informations ou les services choisis, en utilisant un mot isolé, des gestes et de la mimique.	
Chaque groupe présente à la classe 2 ou 3 situations exercées.	Prier les groupes de ne présenter que des situations qui n'ont pas encore été jouées ou qui comportent des variantes.
	Conclure par une petite discussion sur l'importance de la situation dans toute communication. Un simple mot, prononcé dans des circonstances particulières, peut prendre subitement des significations variées et de très grande importance.

3 *Tu vas où ? Où vas-tu ? Où est-ce que tu vas ?*

Fonction	Demander → offrir/refuser une chose, une information, un service.
Intention pédagogique	Montrer que l'acte de parole destiné à demander une chose, une information, un service peut être réalisé par différents types d'énoncés : interrogation directe, interrogation indirecte, impératif, déclaratif, exclamatif. Tout dépend de l'intention. Exercer les étudiants à utiliser systématiquement les différents types d'énoncés permettant d'exprimer une demande.
Objectif global d'apprentissage	Distinguer parmi différents actes de parole les divers types d'énoncés permettant d'exprimer une demande. Utiliser, à partir d'indications, les divers types d'énoncés exprimant une demande.
Contenu	Exercices structuraux, exercices de fixation sur l'interrogation directe, l'interrogation indirecte, l'impératif.
Participants	Enseignant → classe Enseignant → 1 apprenant 1 apprenant → 1 apprenant
Lieu/Moment	Phase d'exploitation et d'entraînement
Canal	Direct
Registre	Soutenu, courant.

ACTIVITÉS	ORGANISATION
	Rappeler qu'une demande peut se traduire par différents types d'énoncés : interrogation directe, interrogation indirecte, impératif, exclamatif, déclaratif selon les intentions qu'on cherche à réaliser. Donner des exemples de demandes, soit à partir d'un texte suivi, soit isolés et demander à la classe de dire à quel type ils appartiennent.
Faire une série d'exercices structuraux classiques de transformation. L'enseignant donne un stimulus, désigne un étudiant qui donne la réponse selon une consigne préétablie. *Exemple :* S : Il fait beau aujourd'hui. R : Est-ce qu'il faisait aussi beau hier ? ou S : Je vais vite à la gare. R : Où vas-tu ? ou S : Je vais à la gare. R : Elle aimerait bien savoir où tu vas.	
Faire une série d'exercices de fixation plus libres. A partir d'un stimulus et selon une consigne préétablie, l'étudiant peut choisir sa réponse avec plus de liberté. *Exemple :* S : Qu'il fait chaud ! R : Mais, enlève ta veste. ou S : J'ai soif. R : Viens, on va boire un verre. ou S : J'aimerais bien aller au cinéma ce soir. R : Veux-tu venir avec nous, on y va justement.	Ce type d'exercices peut aussi se faire entre deux étudiants. L'un donne le stimulus selon la consigne préétablie, l'autre la réponse. Changer régulièrement les rôles. L'enseignant passe de groupe en groupe pour une aide éventuelle.

4 *Quel âge avez-vous, chère madame ?*

Fonction	Demander ⟶ offrir/refuser une chose, une information, un service.
Intention pédagogique	Exercer les étudiants au libre emploi d'actes de communication pour demander, donner ou refuser une information, un renseignement.
Objectif global d'apprentissage	Utiliser, selon ses possibilités et ses intentions, un énoncé pour obtenir une information, un renseignement. Utiliser, selon ses possibilités et ses intentions, un énoncé pour donner ou refuser une information, un renseignement.
Contenu	Demander des renseignements sur la vie, la profession, les opinions, les goûts de quelqu'un. Interrogation, interrogation indirecte, impératif.
Participants	Enseignant ⟶ toute la classe Enseignant ⟶ 1 apprenant
Lieu/Moment	En liaison avec l'étude de l'interrogation
Canal	Direct
Registre	Courant, éventuellement familier, suivant les relations existant entre enseignant et apprenants.

ACTIVITÉS

ORGANISATION

Rappeler que les gens sont, en général, très curieux et qu'ils aiment savoir ce que font les autres, ce qu'ils pensent, quels sont leurs goûts. Une bonne partie des conversations porte sur les personnes mêmes qui sont en train de converser ou sur des tiers. On est donc souvent amené à donner des renseignements sur soi-même ou à en demander à un interlocuteur sur lui-même.
Rappeler que l'acte de demander peut se traduire par différents types d'énoncés : interrogation, interrogation indirecte, impératif, etc. (par exemple l'exclamation : « Quelle fumée dans ce bureau ! » peut être une demande indirecte d'aérer la pièce).

Un étudiant demande une information à l'enseignant, qui la lui donne ou la lui refuse (certaines questions peuvent être trop indiscrètes !) et qui lui demande, à son tour, une information de même ordre. L'étudiant répond ou refuse de donner l'information demandée. Un autre étudiant intervient de la même façon, et ainsi de suite jusqu'au moment où les étudiants n'ont plus rien à demander.
Par exemple :
A1 : Quel âge avez-vous ?
E : Trente-six ans. Et vous ?
A1 : Dix-sept.
A2 : Moi, j'aimerais bien savoir si vous aimez le free jazz.
E : Oui, j'aime assez. Et vous ?
A2 : J'adore.
etc.

Les étudiants sont aussi curieux et aimeraient certainement obtenir une foule de renseignements sur leur professeur, qui les invite à les lui demander, à la condition qu'il puisse, lui aussi, le faire.

Laisser, si possible, les étudiants demander librement. S'il y a trop de timides, les inviter, du regard à intervenir. En dernier recours, les forcer à le faire à tour de rôle.

Conclure en faisant récapituler par la classe les diverses façons de demander une information, un renseignement : diverses formes de l'interrogation, interrogation indirecte, impératif, etc.

5 *Interrogeons l'image*

Fonction	Demander → offrir/refuser une chose, une information, un service.
Intention pédagogique	Exercer les étudiants à l'emploi d'actes de communication pour demander ou donner une information, un renseignement.
Objectif global d'apprentissage	Utiliser, selon ses possibilités et ses intentions, un énoncé pour obtenir une information, un renseignement. Utiliser, selon ses possibilités et ses intentions, un énoncé pour donner ou refuser une information, un renseignement.
Contenu	Présenter des documents visuels (photos, diapositives, films) illustrant les sujets les plus divers : pays, villes, régions, œuvres d'art, techniques, personnalités, etc.
Participants	Enseignant → classe Enseignant → 1 apprenant 1 apprenant → 1 apprenant
Lieu/Moment	Phase d'appropriation.
Canal	Direct
Registre	Courant

ACTIVITÉS

ORGANISATION

Présenter un document visuel sur un sujet quelconque sans faire aucun commentaire.

Attendre que la classe réagisse, soit en demandant ce que représente le document présenté, soit en donnant des renseignements.

Différentes possibilités de demander ou de donner des informations sur le document visuel :

– l'enseignant demande une information à un étudiant qui la lui donne ou non.
– l'enseignant demande une information à la classe et un ou plusieurs étudiants la lui donnent.
– l'enseignant donne une information à un étudiant ou à toute la classe.
– un étudiant demande une information à l'enseignant qui la lui donne.
– un étudiant demande une information à un autre étudiant qui la lui donne.

Varier les possibilités de demander et de donner les informations.

Conclure en priant un ou plusieurs étudiants de faire un petit résumé des informations et renseignements obtenus sur le document visuel présenté.

6 *Est-ce vivant ? Vit-il encore ? A-t-il... ? etc.*

Fonction	Demander ⟶ offrir/refuser une chose, une information, un service.
Intention pédagogique	Montrer que lorsqu'on veut obtenir une information, la demande peut déjà contenir une partie ou le tout de cette information et ainsi ne porter que sur sa confirmation ou son infirmation (question fermée avec réponse par oui ou par non).
Objectif global d'apprentissage	Poser des questions fermées pour obtenir des renseignements toujours plus précis sur un sujet inconnu qu'il faut découvrir.
Contenu	Sujets à découvrir : un personnage célèbre, un objet ou une personne se trouvant dans la classe, un animal, etc.
Participants	1 apprenant ⟶ toute la classe
Lieu/Moment	En liaison avec l'étude de l'interrogation
Canal	Direct
Registre	Courant, selon les possibilités et le niveau des apprenants. (Laisser les étudiants « se débrouiller » pour obtenir les informations désirées. Ne pas intervenir s'il y a des incorrections, l'essentiel étant de se faire comprendre pour recevoir les renseignements nécessaires)

ACTIVITÉS	ORGANISATION
	Expliquer que l'orsqu'on veut découvrir un sujet, le moyen le plus économique est de poser des questions fermées portant, d'abord, sur les catégories les plus générales pour, ensuite, passer, progressivement, à celles plus spécifiques. (exemple « Est-ce vivant ? » ; « est-ce un être humain ? » ; « vit-il encore ? » etc.)
	1 étudiant sort de la pièce ; la classe choisit un sujet à découvrir.
L'étudiant pose vingt questions auxquelles on ne peut répondre que par oui ou par non.	
Chaque étudiant de la classe, à tour de rôle, répond à la question que l'étudiant lui a posée.	
	Si l'étudiant parvient à découvrir le sujet avec ses vingt questions, il peut, à son tour, en choisir un.
Les étudiants de la classe posent, à tour de rôle, une question fermée.	
L'étudiant y répond.	
	S'il n'y parvient pas, on désigne un autre étudiant et on choisit un nouveau sujet.
	On peut organiser un concours et calculer le nombre de réussites et d'échecs pour les étudiants et pour l'ensemble de la classe, ainsi que le nombre de questions nécessaires à chaque découverte.

7 *Est-il dans la classe ou en dehors de la classe ?*

Fonction	Demander → offrir/refuser une chose, une information, un service.
Intention pédagogique	Montrer que lorsqu'on veut obtenir une information, la demande peut déjà contenir une partie ou le tout de cette information et ainsi ne porter que sur le choix entre deux éléments sur lesquels on veut avoir des renseignements plus précis.
Objectif global d'apprentissage	Poser des questions **fermées** pour obtenir des renseignements toujours plus précis sur un sujet inconnu qu'il faut découvrir.
Contenu	Sujets à découvrir : personnage célèbre, objet dont la classe a parlé récemment, animal, etc.
Participants	1 groupe → 1 groupe
Lieu/Moment	En liaison avec l'étude de l'interrogation
Canal	Direct
Registre	Courant, selon les possibilités et le niveau des apprenants. (Laisser les étudiants « se débrouiller » avec les moyens dont ils disposent, gestes, mimique, langage incorrect, mots dans la langue maternelle, l'essentiel étant de se faire comprendre pour obtenir les renseignements nécessaires)

(Voir, pp. 116-119, l'application de cette activité)

ACTIVITÉS	ORGANISATION
	Expliquer que lorsqu'on veut découvrir un sujet, le moyen le plus économique est de poser des questions fermées portant sur deux éléments antinomiques, en partant des catégories les plus générales pour arriver aux plus spécifiques. (exemple « Est-ce que c'est vivant ou non vivant ? » ; « est-ce que c'est un être humain ou un animal ? » ; « est-il dans la classe ou hors de la classe ? » etc.)
	Diviser la classe en 2 grands groupes. Chaque groupe choisit, à tour de rôle, un sujet que l'autre doit découvrir.
Les étudiants du premier groupe posent 10 questions avec deux éléments antinomiques.	
Ceux du deuxième groupe répondent en donnant uniquement l'élément correct ou en disant : « Ni l'un ni l'autre ».	
	Calculer le nombre de réussites et d'échecs pour chaque groupe et le nombre de questions nécessaires à chaque découverte.
	Conclure avec une petite discussion sur les notions de catégories, d'opposition, d'inclusion, etc. Faire éventuellement certains rapprochements avec la mathématique.

8 *Suivre un mode d'emploi*

Fonction	Demande ⟶ offre/refus d'une chose, d'une information, d'un service.
Intention pédagogique	Montrer qu'on peut donner des informations à différents niveaux de précision et que la relation entre les choses, les actions et les mots est moins immédiate qu'on le pense généralement.
Objectif global d'apprentissage	Donner les informations nécessaires à quelqu'un pour qu'il puisse exécuter une tâche. Comprendre ces informations pour être à même d'exécuter la tâche choisie.
Contenu	Exécution de tâches diverses : faire un paquet, construire un avion, un chapeau, un bateau en papier, recouvrir un livre, faire un nœud de cravate, etc. Compléter le mode d'emploi d'un jouet, d'un jeu, d'un outil, etc.
Participants	1 apprenant ⟶ classe Groupe ⟶ classe
Lieu/Moment	Sensibilisation à la communication. Phase d'appropriation.
Canal	Direct.
Registre	Courant, familier (Laisser les étudiants utiliser tous les moyens à leur disposition, même le recours occasionnel à la langue maternelle, l'essentiel étant que les informations soient transmises et comprises).

ACTIVITÉS	ORGANISATION
	Demander à 1 ou 2 étudiants ou à un petit groupe de venir devant la classe, lui ou leur fournir le matériel nécessaire à l'exécution de la tâche (par exemple, fabriquer un avion en papier), et le ou les prier de ne faire strictement que ce que la classe lui ou leur demande de faire.
	Ne pas intervenir et laisser la classe se débrouiller. L'essentiel est que la tâche choisie soit réalisée.
Les étudiants de la classe qui savent fabriquer, par exemple, un avion en papier, donnent les instructions et les informations nécessaires.	
L'exécutant ou le groupe suit strictement les instructions sans demander aucune information complémentaire.	Charger un groupe de relever les instructions confuses et imprécises qui n'ont pas pu être suivies correctement.
	Calculer le temps nécessaire à l'exécution de la tâche.
	Demander à un autre groupe d'étudiants de jouer, par exemple, à un jeu selon le mode d'emploi qu'on lui lit (ou de mettre en marche un jouet, d'utiliser un outil, etc.).
Un étudiant lit le mode d'emploi, règle après règle, ou instruction après instruction.	
Le groupe exécute les différentes tâches et demande, si besoin est, un complément d'information.	Charger un groupe de relever le nombre de demandes de complément d'information.
La classe donne le complément d'information.	
	Conclure par une brève discussion sur la difficulté de décrire des actions et sur les rapports complexes qui existent entre les mots et la réalité.

9 *Nous allons préparer une excursion, un film, etc.*

Fonction
Demander → offrir/refuser une chose, une information, un service.

Intention pédagogique
Montrer que toute demande a pour but de satisfaire un besoin, de pallier un manque et qu'on y répond de façon différente suivant qu'elle porte sur une chose, une information ou un service.

Objectif global d'apprentissage
Utiliser, selon ses possibilités et ses intentions, un énoncé pour obtenir une chose, une information ou un service.

Contenu
Préparation d'une excursion, d'une soirée, d'un film, d'un reportage, d'un article, etc.

Participants
Enseignant → classe
Groupe → classe

Lieu/Moment
Réalisation d'un travail, d'un document.

Canal
Direct

Registre
Courant, selon les moyens et le niveau des apprenants (Laisser les étudiants « se débrouiller » avec les connaissances qu'ils ont acquises).

ACTIVITÉS	ORGANISATION
	Rappeler que lorsqu'on veut réaliser quelque chose, on a souvent besoin de demander un renseignement, un service, une aide, un objet pour atteindre son but. (exemple le chirurgien, lorsqu'il est en train d'opérer un malade, demande à son assistant de lui donner les différents instruments dont il a besoin ; lorsqu'une famille prépare un pique-nique, le père et la mère demandent à leurs enfants divers services : mettre les

chaises longues dans le coffre de la voiture, emballer la nourriture, nettoyer le gril, etc.)

Charger un petit groupe de préparer et de réaliser quelque chose, une soirée, un reportage sur un sujet déterminé, un film, réalisation pour laquelle il a besoin de l'aide de la classe. Les demandes porteront aussi bien sur des objets, car le groupe n'aura rien à sa disposition au départ et devra tout demander, que sur des informations et des services.

La réalisation peut être réelle, ce qui est toujours favorable à l'authenticité de la communication, ou imaginaire.

Le groupe expose brièvement à la classe la tâche qu'il doit réaliser et lui demande ensuite les choses, les informations et les services dont il a besoin.

Les étudiants de la classe répondent négativement ou positivement aux différentes demandes, soit en donnant un objet, soit en rendant un service, soit en donnant un renseignement, soit en s'engageant à satisfaire un des besoins exprimés par le groupe.

Les membres du groupe peuvent faire une demande, soit à un étudiant, qui répond alors positivement ou négativement, soit à toute la classe en espérant qu'un étudiant puisse répondre positivement.

Exemple :
G : Voilà, nous devons organiser une petite soirée. Premièrement, est-ce que quelqu'un peut nous passer une feuille de papier et un crayon afin que nous puissions noter différentes choses. Deuxièmement, est-ce que quelqu'un a un local à disposition ?
C : Moi, éventuellement, ça dépend du jour.
etc. etc.
G : Est-ce que tu peux te charger d'apporter quelques disques de musique douce.
C : Non, je n'en ai pas.
G : Qui en a ?
etc. etc.

Conclure en demandant au groupe s'il possède maintenant tout ce dont il a besoin pour accomplir sa tâche. Si ce n'est pas le cas, engager une petite discussion sur ce qui n'a pas fonctionné et dégager les raisons des lacunes.

10 *Nous sommes des journalistes*

Fonction	Demander ⟶ offrir/refuser une chose, une information, un service.
Intention pédagogique	Exercer les étudiants à l'emploi d'actes de communication pour demander une information, un renseignement.
Objectif global d'apprentissage	Après avoir préparé un certain nombre de demandes, obtenir, en utilisant les énoncés adéquats, les informations, les renseignements dont on a besoin.
Contenu	Réalisation d'un reportage, d'un article, d'un document sur un sujet choisi par les étudiants : sujets d'actualité, sujets généraux (drogue, avortement, etc.), personnalités célèbres, etc. Travail réalisé dans le cadre de l'école : géographie, histoire, activités artistiques, etc.
Participants	Groupes Enseignant ⟶ groupe
Lieu/Moment	Phase d'appropriation
Canal	Direct
Registre	Soutenu, courant.

ACTIVITÉS	ORGANISATION
	Montrer qu'il est parfois indispensable de préparer ses demandes si l'on veut obtenir exactement les informations, les renseignements dont on a besoin. Il convient alors de préparer un schéma de demandes, soit par écrit, soit mentalement.
	Former des petits groupes.
Chaque groupe choisit librement un sujet qu'il aimerait traiter sous la forme d'un reportage, d'un exposé, d'un article.	
Il établit ensuite la liste des informations et des renseignements qui lui manquent.	
Puis il met au point la façon dont il va les obtenir (certains renseignements se trouvent dans des documents écrits, pour d'autres, il faut demander où les chercher, d'autres, encore, peuvent être obtenus oralement, etc.)	
Une fois qu'un groupe est prêt, on se répartit les tâches et chaque membre va à la recherche d'une ou de plusieurs informations, soit en s'adressant à l'enseignant, soit à un autre groupe, soit à d'autres personnes se trouvant dans le bâtiment.	L'enseignant reste à la disposition des groupes.
Après un certain temps fixé à l'avance, chaque groupe fait le point pour voir quelles informations sont maintenant à disposition et quelles autres font encore défaut.	
	Conclure en comparant le nombre d'informations désirées, obtenues, manquantes dans chaque groupe.

11 *Puis-je me permettre de solliciter...*

Fonction

Demander ⟶ offrir/refuser une chose, une information, un service.
Exprimer ⟶ approuver/désapprouver une idée, une opinion, un sentiment.
Établir ⟶ maintenir/rompre un contact social.

Intention pédagogique

Montrer que selon la chose, l'information, le service qu'on veut obtenir, selon l'identité et la personnalité de l'interlocuteur, selon la situation, une demande doit être faite avec des détours, de la précaution, de la conviction.

Objectif global d'apprentissage

Utiliser, selon ses possibilités et ses intentions, les énoncés nécessaires pour essayer d'obtenir quelque chose de difficile sinon d'impossible.

Contenu

Demander au professeur : un congé, la suppression d'un devoir, de faire une excursion, etc.
Demander aux parents : de l'argent, de partir en vacances, de sortir le soir, un vélomoteur, etc.
Demander un emprunt, une augmentation, etc.

Participants

Groupes
Enseignant ⟶ groupe
Enseignant ⟶ 1 apprenant

Lieu/Moment

Sensibilisation à la communication orale.

Canal

Direct

Registre

Soutenu, courant, selon la situation.

ACTIVITÉS	ORGANISATION
	Donner quelques exemples de demandes délicates : augmentation de salaire, emprunt, congé, objets coûteux, etc. et montrer qu'une telle demande doit se faire avec détour et précaution. Tout devient important et peut être déterminant : la façon d'établir le contact avec son interlocuteur, les arguments présentés, la façon d'exprimer la demande, son comportement, son habillement, etc.
	Former plusieurs petits groupes.
Chaque groupe choisit une demande délicate à formuler à l'enseignant, soit en tant que tel, soit en lui demandant de jouer un rôle (père, directeur, agent de police, etc.).	
Le groupe prépare la façon de présenter la demande. Il peut charger l'un de ses membres de le faire seul, en l'aidant toutefois à mettre au point la stratégie.	
Chaque groupe va, à tour de rôle, auprès de l'enseignant pour lui formuler sa demande.	
Les autres groupes observent et jugent la façon dont la demande a été faite.	
	Conclure par une discussion sur les possibilités de réussite ou d'échec éventuels de chaque demande.

12 *Est-ce que je peux ouvrir la fenêtre ?*

Fonction	Établir ⟶ maintenir/rompre un contact social.
Intention pédagogique	Montrer qu'on ne peut pas ne pas communiquer et que, lorsque deux personnes sont en présence, soit elles se réfugient dans une attitude qui empêche toute communication (ce qui est aussi une façon de dire qu'on n'a pas envie de parler, par exemple, en lisant un journal, en fermant les yeux, en prenant un air rêveur), soit elles engagent une conversation.
Objectif global d'apprentissage	Trouver et utiliser les énoncés qui permettent d'établir un contact social.
Contenu	Demandes sur l'identité de l'autre ou sur une de ses opinions ; prendre l'autre à témoin d'un fait ou d'un événement ; exprimer une opinion ; s'exclamer à propos d'un fait ou d'un événement.
Participants	2 apprenants ⟶ classe groupe ⟶ classe
Lieu/Moment	Conversation, sensibilisation à la communication
Canal	Direct
Registre	Courant, familier (laisser les étudiants utiliser le registre qui leur paraîtra naturel dans la situation jouée)

ACTIVITÉS	ORGANISATION
	Prier 2 étudiants ou un petit groupe de s'asseoir devant la classe et de s'imaginer la situation suivante : ils se trouvent ensemble par hasard, sont de langue maternelle différente mais savent un peu la langue étrangère qu'on est en train d'apprendre. Agir comme si l'enseignant et la classe n'existaient plus.
	Après cette mise en train, l'enseignant n'intervient plus du tout.
Les 2 étudiants ou le petit groupe établissent, d'une façon ou d'une autre, un contact social.	Si c'est le cas, laisser les étudiants dans le silence, la gêne, l'embarras.
La classe relève par écrit les énoncés qui ont permis d'établir un contact social.	Interrompre la communication après cinq minutes.
	Demander à 2 autres étudiants ou à un petit groupe de jouer la même situation, en trouvant d'autres sujets ou d'autres moyens pour établir un contact social.
	Après que plusieurs groupes d'étudiants ont passé devant la classe, énumérer avec celle-ci les différents énoncés qui ont permis d'établir un contact social. Relever également pour chaque groupe la durée approximative et le nombre des moments de silence et de gêne.
	Conclure par une petite discussion sur les différentes façons d'établir un contact social et sur les moyens d'éviter la communication.

13 *Allô! Qui est à l'appareil?*

Fonction	Établir ⟶ maintenir/rompre un contact social. Demander ⟶ offrir/refuser une chose, une information, un service.
Intention pédagogique	Montrer que lorsqu'on ne voit pas son interlocuteur, comme par exemple dans la communication téléphonique, on établit un contact social de façon particulière.
Objectif global d'apprentissage	Utiliser les énoncés adéquats pour établir un contact social lorsqu'on ne voit pas son interlocuteur.
Contenu	Formules d'appel, de présentation, d'identification. Demandes d'un rendez-vous, d'un renseignement, d'un service.
Participants	Enseignant ⟶ classe 1 apprenant ⟶ 1 apprenant
Lieu/Moment	Sensibilisation à la communication orale.
Canal	Direct, indirect (téléphone à piles, interphone).
Registre	Courant, familier.

ACTIVITÉS | ORGANISATION

Rappeler que, lorsqu'on ne voit pas la personne à laquelle on s'adresse, on est obligé d'établir un contact de façon particulière. Il convient, notamment, de s'assurer que son interlocuteur est bien celui à qui on désire parler, de se présenter soi-même et, le cas échéant, d'utiliser des formules d'appel pour être certain que l'interlocuteur nous entend.

Prier un étudiant de sortir de la classe et de se placer derrière la porte.

Inviter un autre étudiant à lui demander, par exemple, ce qu'il fait derrière la porte ou s'il a vu tel film.
Exemple :
E1 : Hé, Michel, tu m'entends ?
E2 : Oui.
E1 : C'est Paul qui parle.
Qu'est-ce que tu fais derrière la porte ?
E2 : Ben, je ne sais pas, c'est le prof qui me l'a demandé.

Rendre attentif aux formules d'appel et à la nécessité de se présenter.

Répéter plusieurs fois le jeu en variant les façons d'établir le contact et les demandes.

Récapituler les différentes formules d'adresse téléphonique : Allô ? , qui est à l'appareil, c'est bien le 23 3 65 ? Dupont, etc.

A tour de rôle, deux étudiants commencent une communication téléphonique, la poursuivent par une demande et la terminent par les formules d'usage.

Avec un téléphone à piles ou un interphone, un étudiant sort de la classe avec un récepteur.

S'il n'y a pas de téléphone, la classe est divisée en groupes de deux étudiants qui se tournent le dos.

14 *Il fait beau. – Oh! oui, il fait beau*

Fonction	Établir ⟶ maintenir/rompre un contact social.
Intention pédagogique	Montrer que dans toute conversation, il y a plusieurs énoncés qui ne servent qu'à établir, maintenir ou interrompre un contact social.
Objectif global d'apprentissage	Reconnaître dans des dialogues ou des conversations écrits ou enregistrés les énoncés qui servent à établir, maintenir ou interrompre un contact social.
Contenu	Formules d'adresse (bonjour, salut, adieu, etc.). Questions-prétextes (comment ça va ? vous avez bien dormi ? etc.). Sujets-prétextes (le temps, la santé, le travail). Dialogues tirés d'un manuel. Conversations authentiques enregistrées de la radio ou de la télévision. Dialogues enregistrés faisant partie d'un matériel pédagogique.
Participants	Enseignant ⟶ classe Enseignant ⟶ groupes
Lieu/Moment	Sensibilisation à la communication. Phase d'exploitation.
Canal	Direct et indirect (magnétophone, magnétoscope, radio, télévision)
Registre	Divers, selon les dialogues et les conversations présentés.

ACTIVITÉS	ORGANISATION
	Mettre en évidence le fait qu'une partie importante des conversations entre deux ou plusieurs personnes ne consiste souvent qu'à établir et à maintenir un contact verbal entre elles, car on ne peut pas ne pas communiquer. Le silence gêne, embarrasse, de sorte que tous les prétextes sont bons pour le rompre. Ainsi beaucoup de demandes et d'offres d'information, beaucoup d'explications, d'expressions d'opinions, de sentiments, beaucoup de narrations de faits, d'événements n'ont, en fait, qu'un seul but : établir et maintenir un contact social. De plus, il y a toutes les formules et conventions qui changent de registre suivant les participants et qui permettent de commencer ou de terminer une conversation.
La classe lit en silence un dialogue tiré du manuel et chaque étudiant essaye de relever les énoncés qui servent à établir, maintenir ou rompre un contact social.	
Faire en commun l'inventaire de ces énoncés en le discutant et en le justifiant.	
	Former plusieurs groupes.
Les groupes écoutent un dialogue ou une conversation enregistrés et relèvent les énoncés qui servent à établir, maintenir ou rompre un contact social.	Transmettre un dialogue ou une conversation enregistrés (magnétophone, radio, magnétoscope).
Chaque groupe met au point son inventaire des énoncés relevés.	L'enseignant passe de groupe en groupe pour une aide éventuelle.
	Conclure par une récapitulation succincte des formules d'adresse, des sujets/prétextes, des demandes/prétextes permettant d'établir, de maintenir ou de rompre un contact social.

15 *Bonjour, monsieur... Salut Germaine*

Fonction	Établir ⟶ maintenir/rompre un contact social.
Intention pédagogique	Montrer qu'il y a différentes façons d'établir ou de rompre un contact social suivant la situation et les personnes en présence.
Objectif global d'apprentissage	Trouver et utiliser les actes de communication et les énoncés adéquats pour établir ou rompre un contact social selon des situations et des participants divers.
Contenu	Différentes formules d'adresse et conventions sociales à choisir selon l'âge des étudiants. (Salut, bonjour Monsieur, ciao, à bientôt, oui Monsieur, etc.). Différentes questions/prétextes (Qu'est-ce que tu fais ? Comment allez vous ? Tu prends un verre ? Vous allez à Paris ? Vous êtes Anglaise ? etc.) Différents sujets/prétextes (Quel temps de chien ! Le boulot va bien ? etc.)
Participants	Enseignant ⟶ groupes 2 apprenants ⟶ classe Groupe ⟶ classe
Lieu/Moment	Sensibilisation à la communication.
Canal	Direct
Registre	Divers, selon les situations et les participants choisis.

ACTIVITÉS	ORGANISATION
	Montrer, par des exemples, qu'on s'adresse différemment à un interlocuteur suivant son identité et sa personnalité. Mettre également en évidence la multiplicité et la diversité des relations entre personnes qui conditionnent la façon d'établir et de rompre la communication orale. (copain-copain, enfant-parent, enfant-adulte connu, enfant-adulte inconnu, élève-professeur, collègue-collègue, employé-directeur, inconnu-inconnu, acheteur-vendeur, etc.)
	Former plusieurs petits groupes.
Chaque groupe établit une liste de cinq relations différentes entre personnes et choisit un ou plusieurs énoncés caractéristiques pour établir et rompre un contact social dans chaque type de relation.	L'enseignant passe de groupe en groupe pour une aide éventuelle.
2 étudiants de chaque groupe, à tour de rôle, présentent à la classe deux ou trois types de relation et jouent les situations.	Conseiller aux étudiants de choisir des rôles qu'ils jouent habituellement dans la vie de tous les jours.
Exemple : E1 : Salut ! Comment ça va ? E2 : Pas mal. Et toi ? E1 : Bof ! Où tu vas ? E2 : Je rentre voir le match à la télé. E1 : Ah ! bon. Eh bien, adieu. E2 : Ciao.	
	Conclure en présentant quelques situations, rôles et relations qui n'auraient pas été mentionnés mais qui pourraient être vécus par les membres des différents groupes.

16 *Choisir ce qui est caractéristique*

Fonction	Relater ⟶ confirmer/démentir un fait, un événement, une expérience.
Intention pédagogique	Montrer que, lorsqu'on veut relater un fait, un événement, une expérience qu'on a vécus, il convient de choisir dans l'ensemble des souvenirs qu'on en a les données les plus marquantes.
Objectif global d'apprentissage	Choisir dans un fait, un événement, une expérience vécus les cinq données les plus marquantes.
Contenu	Faits, événements, expériences vécus par les étudiants : vacances, week-end, accident, maladie, sport, loisirs, vie de famille, excursions, visites, etc.
Participants	Enseignant ⟶ classe Groupes Enseignant ⟶ groupes
Lieu/Moment	Phase d'appropriation
Canal	Direct
Registre	Courant

ACTIVITÉS	ORGANISATION
	Raconter un ou deux faits, événements, expériences et demander à la classe de relever les cinq données qui lui paraissent les plus marquantes et caractéristiques.
	Former plusieurs petits groupes.
Chaque membre d'un groupe mentionne aux autres un fait, un événement, une expérience qu'il aimerait leur relater, mais sans le faire. Il se limite à énumérer brièvement cinq traits qui lui paraissent les plus caractéristiques.	
Les autres membres du groupe cherchent à reconstituer, à partir des cinq données indiquées, le fait, l'événement, l'expérience en question.	L'enseignant passe de groupe en groupe pour une aide éventuelle et pour participer à la discussion.
Le groupe discute si les cinq données étaient vraiment celles qui permettaient le mieux de relater le fait, l'événement, l'expérience en question.	
	Terminer la séance en demandant à un ou deux groupes de présenter les cinq données qui leur ont paru les plus caractéristiques et faire reconstituer, par la classe, le fait, l'événement, l'expérience en question.

17 *L'essentiel, plus le petit détail évocateur*

Fonction	Relater ⟶ confirmer/démentir un fait, un événement, une expérience.
Intention pédagogique	Montrer que lorsqu'on veut relater un fait, un événement, une expérience qu'on a vécus, il convient, d'une part, de choisir dans l'ensemble des souvenirs qu'on en a les données les plus marquantes, d'autre part, d'accompagner celles-ci de détails évocateurs.
Objectif global d'apprentissage	Relater un fait, un événement, une expérience vécus.
Contenu	Faits, événements, expériences vécus par les étudiants : vacances, week-end, accident, maladie, sport, loisirs, vie de famille, excursions, visites, etc.
Participants	Enseignant ⟶ classe Groupes Enseignant ⟶ groupes 1 apprenant ⟶ classe
Lieu/Moment	Phase d'appropriation
Canal	Direct
Registre	Courant

ACTIVITÉS	ORGANISATION
	Raconter un ou deux faits, événements, expériences et demander à la classe de relever les cinq données qui lui paraissent les plus marquantes ainsi que les détails qui rendent le récit évocateur.
	Lire éventuellement un ou deux passages d'écrivains ou de journalistes qui relatent un fait, un événement, une expérience de façon particulièrement évocatrice.
	Former plusieurs petits groupes.
Chaque groupe choisit librement un thème de départ qui devrait permettre à chacun ou à la plupart de ses membres de relater un fait, un événement, une expérience qu'il a vécus.	
Un membre du groupe peut aussi spontanément raconter un fait, un événement, une expérience qu'il a vécus et entraîner les autres à faire de même.	L'enseignant passe de groupe en groupe pour une aide éventuelle et pour participer à la discussion.
Chaque membre d'un groupe devrait raconter librement un fait, un événement, une expérience qu'il a vécus en rapport direct ou indirect avec le thème de départ.	Laisser les groupes « perdre du temps » à choisir un thème afin que le besoin de relater un fait, une expérience, un événement paraisse naturel.
Le groupe discute ensuite sur les différents récits et choisit le ou les plus évocateurs.	
	Terminer la séance en demandant aux groupes de présenter les récits les plus évocateurs.

18 *A la recherche des mots clés*

Fonction	Demander → offrir/refuser une chose, une information, un service. Relater → confirmer/démentir un fait, un événement, une expérience.
Intention pédagogique	Montrer que lorsqu'on entend un énoncé, certains mots ou groupes de mots contiennent plus d'information que d'autres et que ce sont ceux-là qu'il faut d'abord comprendre et se rappeler.
Objectif global d'apprentissage	Distinguer et énumérer les mots clés d'un texte entendu. Utiliser ces mots clés pour reproduire oralement ce texte.
Contenu	Bulletins d'information radiophonique. A défaut, articles de journaux, comptes rendus.
Participants	Enseignant → classe 2 apprenants 2 apprenants → classe
Lieu/Moment	Phase d'appropriation Sensibilisation à la communication
Canal	Soutenu ou courant
Registre	Direct et indirect (radio ou magnétophone)

(Voir, pp. 120-124, l'application de cette activité)

ACTIVITÉS	ORGANISATION
	Mettre en évidence le fait que, lorsqu'on écoute quelqu'un parler, il n'est pas indispensable de comprendre absolument tous les mots pour saisir son message (le même phénomène se produit d'ailleurs avec la lecture). Certains mots ou groupes de mots contiennent plus d'information que d'autres.
	Enregistrer plusieurs bulletins d'informations radiophoniques. On peut également faire entendre les bulletins directement, mais l'on est soumis alors à des contraintes de temps. A défaut, choisir plusieurs articles de presse.
	Faire entendre quelques informations et relever en commun les mots clés.
	Diviser la classe en groupes de 2 étudiants qui travailleront durant toute la séance ensemble.
	Transmettre nouvelle après nouvelle.
	Si l'on ne possède pas d'enregistrement d'informations radiophoniques, lire, l'une après l'autre, de courtes nouvelles de la presse écrites.
Chaque groupe de 2 étudiants relève les mots clés de l'information transmise et un groupe donne aux autres ceux qu'il a retenus.	
En commun, on compare et on complète.	
Un groupe reproduit ensuite l'information à partir des mots clés, librement ou aussi fidèlement que possible.	
	Conclure par la reproduction éventuelle du bulletin complet et la transmission de l'original.

19 *Décrire pour ceux qui ne voient pas*

Fonction	Relater → confirmer/démentir un fait, un événement, une expérience.
Intention pédagogique	Montrer que, lorsqu'on veut décrire un fait, un événement, une action, un objet, une personne, il convient d'en observer et d'en retenir les traits caractéristiques et de trouver les termes les plus précis pour les exprimer.
Objectif global d'apprentissage	Décrire un fait, un événement, une action, un objet, une personne qu'on est en train d'observer de telle façon que quelqu'un qui ne les voit pas puisse les identifier.
Contenu	Décrire une diapositive, une photo illustrant un fait, un événement, une action (scènes de la vie courante, match de boxe, accident, etc.). Décrire un étudiant, un objet. Décrire une action que fait un étudiant.
Participants	Enseignant → classe Groupe → groupe
Lieu/Moment	Phase d'appropriation
Canal	Direct
Registre	Courant

ACTIVITÉS	ORGANISATION
	Projeter une diapositive (ou montrer une illustration) représentant un événement (scène de guerre, match de boxe, mariage princier, scène anecdotique, etc.) et en dégager, avec la classe, les traits caractéristiques en cherchant les termes les plus adéquats pour les décrire.
	Diviser la classe en deux grands groupes.
	Projeter d'autres diapositives, ou montrer des photographies, ou demander à un étudiant de faire une action devant la classe (lacer ses souliers, lire un livre, écrire une lettre, se peigner, etc.), ou demander à un étudiant de se mettre simplement devant la classe.
Un groupe ne regarde pas ce qui est présenté.	
L'autre groupe décrit ce qu'il voit : diapositives, photos, action d'un étudiant, étudiant.	Selon le contenu de la description, le groupe trouvera immédiatement les termes adéquats. On passe alors immédiatement à une autre description, puisque le groupe aveugle aura du même coup fait l'identification nécessaire. (par exemple : Il lace ses souliers, il se peigne, etc.)
Le groupe aveugle doit identifier ce qui lui est décrit.	
	Changer les rôles des groupes.
	Conclure avec une brève discussion sur les difficultés de la description : certains termes correspondent à des actions précises, à des choses facilement identifiables, d'autres sont plus vagues.

20 *En trois mots comme en cent!*

Fonction	Demander → offrir/refuser une chose, une information, un service. Relater → confirmer/démentir un fait, un événement, une expérience.
Intention pédagogique	Montrer qu'on peut, soit simplifier, soit développer, en donnant des détails supplémentaires, une information, un fait, un événement, une expérience dont on a lu ou entendu le récit.
Objectif global d'apprentissage	Résumer et simplifier, selon ses possibilités et ses intentions, un fait, un événement, une expérience, une information dont on a lu le récit. Développer, en donnant des détails supplémentaires, le récit qu'on a lu d'un fait, d'un événement, d'une expérience, d'une information.
Contenu	Faits divers, informations, nouvelles tirés de la presse écrite.
Participants	Enseignant → classe 2 apprenants 2 apprenants → classe
Lieu/Moment	Phase d'appropriation.
Canal	Direct
Registre	Soutenu, courant, familier, selon les interlocuteurs.

ACTIVITÉS	ORGANISATION
	Mettre en évidence le fait qu'on peut donner une information, relater un fait, un événement, une expérience dont on a lu ou entendu le récit de multiples façons, selon l'identité et la personnalité de l'interlocuteur : on peut se référer à un nombre plus ou moins grand de présupposés, de connaissances implicites et explicites du contenu, on peut utiliser des termes plus ou moins techniques. (Il suffira, par exemple, de dire à un interlocuteur : « Tu as lu, Kissinger est de nouveau en Syrie ? » pour que tout le contenu implicite de cette information soit transmis, alors qu'avec un autre interlocuteur, il sera peut-être nécessaire de rappeler qui est Kissinger, où se trouve la Syrie, pourquoi il y est de nouveau, etc.)
	Diviser la classe en groupes de 2 étudiants.
	Distribuer à chaque groupe un ou deux extraits de presse.
Chaque groupe s'exerce à reproduire le contenu de l'extrait de presse reçu de manières différentes : en le simplifiant, en le développant, en donnant des détails ou des explications supplémentaires.	
Un étudiant s'adresse à l'autre en lui disant : « Tu as lu ? Tu as vu ? Tu as entendu ? Tu sais ? » et reproduit l'information, soit en la résumant et simplifiant, soit en la développant. (Supposer qu'il s'adresse à des interlocuteurs différents : un enfant, une jeune fille, un ami au courant de tout, une personne âgée, etc.)	Les groupes échangent périodiquement leur extrait de presse.
Plusieurs groupes présentent, pour terminer, leur information à la classe, chaque membre d'une manière différente.	

21 *L'erreur, hélas, est humaine*

Fonction	Relater → confirmer/démentir un fait, un événement, une expérience.
Intention pédagogique	Montrer que, lorsqu'on relate un fait, un événement, une expérience racontés par quelqu'un d'autre, on déforme souvent ce qu'on a entendu, soit parce qu'on a mal compris, soit parce qu'on interprète de façon personnelle, soit parce qu'on adapte son récit en fonction de son interlocuteur.
Objectif global d'apprentissage	Reproduire aussi fidèlement que possible un énoncé entendu une seule fois.
Contenu	Faits, événements, expériences vécus par les étudiants. Anecdotes, faits divers lus.
Participants	Enseignant → classe 1 apprenant → 1 apprenant
Lieu/Moment	Sensibilisation à la communication orale
Canal	Direct
Registre	Divers, selon les énoncés choisis.

ACTIVITÉS | ORGANISATION

Mettre en évidence le fait que, lorsque quelqu'un relate un fait, un événement, une expérience, une anecdote racontés par une autre personne, le récit est très souvent déformé pour différentes raisons : mauvaise compréhension, interprétation personnelle, adaptation en fonction des interlocuteurs, exagération par besoin de dramatiser, etc.
Donner des exemples : racontars de concierge (une personne a une simple grippe et c'est déjà le cancer ; un couple a quelques difficultés conjugales et c'est déjà le divorce). Articles à sensation dans une certaine presse.

Demander à un étudiant de préparer un très court récit d'un fait, d'un événement, d'une expérience (par exemple : hier soir, j'ai bu pour la première fois du whisky. J'ai trouvé cela épouvantable. Je ne comprends pas comment une telle boisson peut avoir autant de succès).

Faire la même activité avec un très court fait divers qu'un premier étudiant lit, à voix basse, à son voisin.

L'étudiant relate, à voix basse, le fait, l'événement, l'expérience choisis à son voisin qui répète ce qu'il a entendu à l'étudiant suivant, et ainsi de suite jusqu'au dernier.

Comparer ensuite le contenu de l'énoncé original avec celui que le dernier étudiant aura produit.

Conclure avec une brève discussion et en demandant aux étudiants de la classe de donner quelques exemples de déformation analogue dont ils peuvent se souvenir.

22 *A chacun sa vérité*

Fonction	Relater → confirmer/démentir un fait, un événement, une expérience.
Intention pédagogique	Montrer que le récit d'un fait, d'un événement, d'une expérience peut prendre des formes différentes suivant l'identité et la personnalité de celui qui raconte et de celles de son interlocuteur.
Objectif global d'apprentissage	Relater un fait, un événement, une expérience de façon différente suivant l'identité et la personnalité de la personne qui raconte et de son interlocuteur.
Contenu	Faits divers extraits de journaux.
Participants	Enseignant → classe 2 apprenants → classe Groupes Groupe → classe
Lieu/Moment	Phase d'appropriation Sensibilisation à la communication orale
Canal	Direct
Registre	Divers, selon l'identité et la personnalité de la personne qui raconte et de son interlocuteur.

ACTIVITÉS	ORGANISATION
	Rappeler que la forme d'un récit dépend en grande partie de l'identité et de la personnalité de la personne qui raconte et de celles de son interlocuteur. Par exemple, un accident de voiture sera relaté de façon différente par un agent de police à son supérieur, par le même agent de police à sa femme, le soir pendant le repas, par un témoin à un agent de police, par le même témoin à un ami en prenant l'apéritif, par un journaliste faisant un reportage, par les victimes à un agent de police, etc.
	Former plusieurs petits groupes et distribuer à chacun d'eux un article de journal relatant un fait divers (accident, catastrophe naturelle, réception, manifestation, etc.)
Chaque groupe discute le fait divers relaté par l'article qu'il a reçu et essaye de le reconstituer.	Si le fait divers n'est pas assez évocateur, donner un autre article ou demander au groupe d'imaginer un fait divers différent.
Chaque membre du groupe choisit un rôle et essaye d'interpréter le fait divers à sa manière, en prenant un membre ou tout le groupe comme interlocuteur avec une identité et une personnalité particulières.	L'enseignant passe de groupe en groupe et essaye de faire découvrir les traits caractéristiques des différentes formes de récit.
2 étudiants de chaque groupe ou tout le groupe interprètent, à tour de rôle, chaque fait divers devant la classe.	

23 *Ça s'est passé un dimanche...*

Fonction	Relater ⟶ confirmer/démentir un fait, un événement, une expérience.
Intention pédagogique	Exercer les étudiants à la relation libre d'un fait, d'un événement, d'une expérience qu'ils ont vécus. Exercer les étudiants à la relation libre d'un fait, d'un événement, d'une expérience racontés par quelqu'un d'autre.
Objectif global d'apprentissage	Utiliser, selon ses possibilités, les énoncés nécessaires à la relation d'un fait, d'un événement, d'une expérience. Utiliser, selon ses possibilités, les énoncés nécessaires à confirmer ou démentir un fait, une expérience, un événement racontés par quelqu'un d'autre.
Contenu	Faits, événements, expériences vécus par les étudiants : vacances, week-end, maladie, sport, loisir, vie de famille, activités sociales, excursions, visites, etc.
Participants	Groupes 1 ou 2 apprenants ⟶ classe
Lieu/Moment	Phase d'appropriation
Canal	Direct
Registre	Courant

ACTIVITÉS	ORGANISATION
	Former plusieurs petits groupes et leur demander d'oublier la salle de classe et de se comporter comme s'ils étaient entre amis à se raconter des faits, des événements, des expériences vécus.
Chaque groupe choisit librement un thème de départ qui devrait permettre à chacun de ses membres de relater un fait, un événement, une expérience qu'il a vécus.	
Un membre peut aussi prendre la parole spontanément et entraîner les autres à relater un fait, un événement, une expérience.	
Trouver également des faits, événements, expériences que deux ou plusieurs étudiants ont vécus ensemble. Un étudiant fait alors le récit et les autres confirment, démentent, complètent ce qu'il dit.	L'enseignant passe de groupe en groupe pour participer à la discussion.
Deux étudiants échangent, périodiquement, leur place avec deux étudiants d'un autre groupe auquel l'un relate le fait, l'événement, l'expérience que l'autre avait raconté dans le premier groupe. Le deuxième étudiant confirme, dément, complète le récit.	Laisser les discussions se développer naturellement. Ne pas avoir peur des silences. Ne pas forcer les timides ou ceux qui n'ont rien à dire à prendre la parole à tout prix.

24 ... *et ceci pour cinq raisons*

Fonction	Exprimer → approuver/désapprouver une idée, une opinion, un sentiment.
Intention pédagogique	Montrer que, lorsqu'on veut exprimer une opinion, un jugement, il convient, pour être convaincant, de les justifier.
Objectif global d'apprentissage	Trouver cinq arguments permettant de justifier une opinion, un jugement.
Contenu	Thèmes contradictoires à choisir selon l'âge, les intérêts, le niveau des étudiants : drogue, avortement, liberté sexuelle, autorité des parents, autorité de l'école, communisme, vie communautaire, société de consommation, etc. Pour ou contre tel jouet, tel jeu, tel sportif, telle leçon, tel professeur, tel chanteur, etc.
Participants	Enseignant → classe 2 apprenants 2 apprenants → classe
Lieu/Moment	Sensibilisation à la communication orale
Canal	Direct
Registre	Courant

ACTIVITÉS	ORGANISATION
	Rappeler que la langue sert, dans bien des situations, à s'affirmer, à se situer par rapport aux autres, notamment lorsqu'on est amené à exprimer une opinion. Cette expression dépend de beaucoup de facteurs et est le reflet de la personnalité de celui qui parle. L'un de ces facteurs est l'aptitude à trouver rapidement des arguments pour justifier son opinion.
	Diviser la classe en groupes de deux étudiants.
Chaque groupe choisit un thème de discussion qui mettra en opposition ses membres.	
Chaque membre cherche cinq arguments qu'il estime nécessaires à la défense de son opinion.	L'enseignant n'intervient en aucune manière dans le choix des arguments. Chaque étudiant doit se débrouiller tout seul. Suivant le niveau de la classe, on peut, occasionnellement, avoir recours à la langue maternelle.
Sans entamer aucune discussion, le groupe compare les arguments de chacun.	
Chaque groupe présente, à tour de rôle à la classe, les arguments pour et contre le thème choisi. Cette présentation se fait sans notes et sans développement. Il n'y a pas encore d'argumentation mais simplement une énumération d'arguments.	
La classe, pour chaque groupe, choisit les arguments les plus valables.	Conclure par une brève discussion sur l'objectivité de ces choix.

25 *Avec exemple à l'appui*

Fonction	Exprimer → approuver/désapprouver une idée, une opinion, un sentiment. Relater → confirmer/démentir un fait, un événement, une expérience.
Intention pédagogique	Montrer que, lorsqu'on veut exprimer une opinion, il convient, pour être convaincant, de les justifier.
Objectif global d'apprentissage	Trouver deux à trois exemples permettant de justifier une opinion, un jugement.
Contenu	Thèmes contradictoires à choisir selon l'âge, les intérêts, le niveau des étudiants.
Participants	Enseignant → classe Groupes Groupe → classe
Lieu/Moment	Sensibilisation à la communication orale.
Canal	Direct
Registre	Courant

ACTIVITÉS	ORGANISATION
	Mettre en évidence le fait que des exemples concrets permettent souvent d'étayer une opinion et d'être plus convaincant.
	Former plusieurs petits groupes.
Chaque groupe choisit un thème à propos duquel il aimerait défendre une opinion pour ou contre.	Laisser les groupes se former selon leurs opinions communes.
Il discute quelques arguments pour justifier son opinion, mais surtout, il essaye de trouver deux ou trois exemples concrets comme preuves à l'appui.	
Il met ensuite au point la façon dont seront présentés ces exemples : donner l'impression qu'ils sont authentiques, que le fait rapporté a été vu, vécu par l'un des membres, ou, si ce n'est pas le cas, que la source d'où l'on tire l'exemple est digne de foi. *Exemple :* Pour la drogue : « Moi, j'ai un bon copain qui fume de temps à temps du hachisch et qui ne s'y est jamais habitué. Il n'est pas du tout esclave de la drogue et est tout à fait normal. »	L'enseignant passe de groupe en groupe pour une aide éventuelle et suggérer des moyens de présenter, de façon convaincante, les exemples choisis.
Chaque groupe présente ensuite à la classe ses exemples pour justifier son opinion. La classe choisit ceux qui lui ont paru les plus convaincants.	Conclure par une brève discussion sur les façons de justifier une opinion par des exemples concrets et sur les choix effectués par la classe, ce qui est encore un moyen d'exercer les étudiants à l'expression d'opinions et de jugements.

26 *Avec chiffres à l'appui*

Fonction	Exprimer ⟶ approuver/désapprouver une idée, une opinion, un sentiment. Relater ⟶ confirmer/démentir un fait, un événement, une expérience.
Intention pédagogique	Montrer que, lorsqu'on veut exprimer une opinion, il convient, pour être convaincant, de la justifier.
Objectif global d'apprentissage	Trouver deux ou trois faits, données, renseignements d'ordre statistique pour justifier une opinion, un jugement.
Contenu	Thèmes contradictoires à choisir selon l'âge, les intérêts, le niveau des étudiants.
Participants	Enseignant ⟶ classe Groupes Groupe ⟶ classe
Lieu/Moment	Sensibilisation à la communication orale.
Canal	Direct.
Registre	Courant.

ACTIVITÉS	ORGANISATION
	Un autre moyen de justifier une opinion, de convaincre, est de présenter des faits, des données, des informations d'ordre statistique. Former plusieurs petits groupes. Laisser les groupes se former selon leurs opinions communes.
Chaque groupe choisit un thème à propos duquel il aimerait défendre une opinion pour ou contre. Il discute quelques arguments pour justifier son opinion et essaye de trouver deux ou trois faits, données, informations d'ordre statistique comme preuves à l'appui.	
Chaque groupe présente ensuite à la classe quelques arguments pour ou contre le thème choisi et les étayent de deux ou trois faits, données, informations d'ordre statistique. *Exemple :* pour une équipe de football : « Telle équipe est incontestablement la meilleure. Elle a mis tant de buts en tant de matches. Elle n'a pas changé de joueurs pendant toute la saison. Elle n'a reçu que tant de buts en tant de matches. »	Laisser les groupes s'organiser comme ils le veulent, soit en désignant un porte-parole, soit en se répartissant les rôles, soit en discutant librement devant la classe.
La classe discute ces données et, éventuellement, les réfute par d'autres.	Conclure sur une brève discussion sur la valeur parfois relative des données statistiques et sur la difficulté et la nécessité de se les rappeler au bon moment et avec exactitude.

27 *La publicité, comment ?*

Fonction	Exprimer → approuver/désapprouver une idée, une opinion, un sentiment.
Intention pédagogique	Montrer que la publicité use des moyens les plus divers et les plus subtils pour exprimer une idée, une opinion, un sentiment et pour convaincre.
Objectif global d'apprentissage	Trouver et décrire trois à cinq moyens utilisés par un document publicitaire pour exprimer une idée, une opinion, un sentiment afin de convaincre et de séduire.
Contenu	Les étudiants apportent cinq documents publicitaires de n'importe quelle nature (articles, photos, slogans, publicité radiophonique, télévisée, etc.) qui les ont le plus frappés.
Participants	Enseignant → classe 2 apprenants 2 apprenants → classe
Lieu/Moment	Sensibilisation à la communication orale.
Canal	Direct et éventuellement indirect (radio, magnétophone, lecteur de cassettes, télévision).
Registre	Selon les documents publicitaires.

ACTIVITÉS	ORGANISATION
	Montrer par des exemples les différents moyens qu'utilise le langage publicitaire pour persuader, convaincre, séduire ; faire rêver, faire envie, susciter le désir ; l'humour, l'insolite, le sensationnel, l'idéal, la surprise, l'inattendu ; l'identification, etc.
	Former des groupes de deux étudiants.
Chaque groupe cherche de trois à cinq raisons pour lesquelles chaque membre a choisi les cinq documents publicitaires apportés.	
Chaque groupe explique ensuite ces raisons à la classe pour quelques documents choisis : photos évocatrices, arguments convaincants, slogans percutants, idée originale, etc.	L'enseignant passe de groupe en groupe pour une aide éventuelle.
Discussion à propos de chaque document. Les autres étudiants approuvent ou désapprouvent les justifications données.	
Chaque groupe essaye de formuler deux ou trois slogans publicitaires sur un sujet ou un objet qu'il choisit librement.	
Présentation de ces slogans et choix des meilleurs.	Conclure par une discussion générale sur le rôle que joue la publicité dans notre société et sur la puissance de persuasion de l'image et du verbe.

28 *Écouter pour mieux convaincre*

Fonction	Exprimer → approuver/désapprouver une opinion, une idée, un sentiment.
Intention pédagogique	Exercer les étudiants à l'expression d'une idée, d'une opinion, d'un sentiment.
Objectif global d'apprentissage	Choisir trois arguments présentés par un interlocuteur pour exprimer son opinion et les approuver ou les désapprouver pour exprimer sa propre opinion. Utiliser librement, selon ses possibilités et ses intentions, les énoncés nécessaires à l'expression d'une opinion.
Contenu	Un étudiant présente un petit exposé sur un sujet qui lui tient à cœur : racisme, sexualité, vie communautaire, chanteur, livre, sportif, etc.
Participants	1 apprenant → classe 1 apprenant → 1 apprenant
Lieu/Moment	Phase d'appropriation Sensibilisation à la communication orale
Canal	Direct
Registre	Courant

ACTIVITÉS	ORGANISATION
	Expliquer brièvement que, lorsqu'on communique avec quelqu'un, il est essentiel de savoir l'écouter sans idée préconçue et sans se forger une opinion avant de lui avoir donné l'occasion de développer pleinement la sienne. Et c'est souvent dans la mesure où l'on parvient à bien saisir les arguments de son interlocteur que l'on peut, en les reprenant, exprimer son opinion avec conviction, soit pour les approuver et les développer, soit pour les désapprouver.
	Demander à plusieurs étudiants de préparer un bref exposé sur un sujet qui leur tient à cœur. Éventuellement, demander à plusieurs étudiants de faire cet exposé spontanément.
L'étudiant présente son petit exposé.	
Les étudiants de la classe choisissent ensuite trois arguments qui ont été développés par le conférencier et, à tour de rôle ou dans une discussion générale, les désapprouvent ou les utilisent pour exprimer leur propre opinion. « Tu prétends que . . . » « Tu as dit que . . . » « Où as-tu pris que . . . » « Mais . . . pourtant . . . il me semble que . . . Moi, j'ai lu le contraire . . . »	Ne pas prolonger la discussion trop longtemps, à moins qu'elle soit passionnante ou passionnée, pour permettre à plusieurs étudiants de faire un exposé.
L'étudiant qui a fait l'exposé se défend.	
	Conclure par une brève discussion sur l'incommunicabilité et la difficulté d'écouter, réellement, l'autre.

29 *Mon disque préféré*

Fonction	Exprimer ⟶ approuver/désapprouver une idée, une opinion, un sentiment.
Intention pédagogique	Exercer les étudiants à l'expression d'une opinion, d'un sentiment.
Objectif global d'apprentissage	Utiliser librement, selon ses possibilités et ses intentions, les énoncés nécessaires à l'expression d'une opinion, d'un sentiment.
Contenu	Les étudiants présentent le disque qu'ils préfèrent.
Participants	Enseignant ⟶ classe 1 apprenant ⟶ classe Groupes
Lieu/Moment	Sensibilisation à la communication orale.
Canal	Direct, indirect (lecteur de cassettes, tourne-disque).
Registre	Courant, familier.

ACTIVITÉS	ORGANISATION
	Demander à autant d'étudiants qu'il y aura de groupes formés d'apporter leur disque préféré.
	Former plusieurs groupes.
Chaque étudiant qui a apporté un disque en fait entendre un extrait à l'ensemble des groupes et exprime très brièvement les raisons de son choix et de sa préférence. Il peut également ne faire état que de ses sentiments d'admiration sans se sentir obligé de les justifier. *Par exemple :* « Moi, je trouve cela tout simplement sensationnel, extraordinaire, génial. Je ne sais pas pourquoi, mais ça me démolit complètement ! »	
Après que chaque étudiant a fait entendre un extrait de son disque préféré, chacun va dans un groupe pour y discuter avec ses membres les raisons de son choix.	Laisser les groupes discuter librement sans intervenir.
	Conclure avec une brève discussion sur la difficulté de justifier des opinions, des sentiments, notamment lorsqu'ils portent sur des œuvres d'art ou des problèmes personnels.

30 *On ne peut pas être indifférent*

Fonction	Exprimer → approuver/désapprouver une idée, une opinion, un sentiment.
Intention pédagogique	Exercer les étudiants à l'expression d'une opinion, d'un sentiment.
Objectif global d'apprentissage	Utiliser librement, selon ses possibilités et ses intentions, les énoncés nécessaires à l'expression d'une opinion, d'un sentiment.
Contenu	Documents visuels (photos, illustrations, reproductions, diapositives, etc.) susceptibles de déclencher l'expression spontanée d'un sentiment ou d'une opinion (« C'est terrible ! », « C'est marrant ! », « C'est dégoûtant ! », « C'est chouette ! ») : photos de scènes de guerre, reproduction de tableaux, dessins humoristiques, photos de paysages, de mannequins, etc.
Participants	Enseignant → classe 2 apprenants Enseignant → 1 apprenant
Lieu/Moment	Sensibilisation à la communication orale.
Canal	Direct.
Registre	Courant, familier.

ACTIVITÉS	ORGANISATION
	Passer les diapositives l'une après l'autre, sans commentaire, en espérant que certains étudiants de la classe exprimeront spontanément leur sentiment ou leur opinion.
	Passer les autres documents (photos, illustrations, dessins, etc.) d'étudiant à étudiant en les laissant s'exprimer spontanément à haute ou à basse voix.
	Former des groupes de deux étudiants.
	Passer une nouvelle fois les documents visuels.
A propos de chaque document présenté, un étudiant dit à son voisin ce qu'il en pense ; celui-ci lui demande les raisons de son sentiment, de son opinion, de son jugement. Selon les cas, il les approuve ou les désapprouve et exprime son sentiment, son opinion, son jugement en essayant de les justifier.	Laisser les groupes s'exprimer librement sans intervenir. Ne pas censurer les exclamations vulgaires.
	Conclure par une discussion générale sur le caractère personnel et subjectif des sentiments, des opinions, des jugements, des impressions qu'on a sur les choses et les personnes.

31 *Pour ou contre*

Fonction	Exprimer ⟶ approuver/désapprouver une idée, une opinion, un sentiment.
Intention pédagogique	Exercer les étudiants à l'expression d'une idée, d'une opinion, d'un sentiment.
Objectif global d'apprentissage	Utiliser librement, selon ses possibilités et ses intentions, les énoncés nécessaires à l'expression d'idées, d'opinions, de sentiments.
Contenu	Thèmes de débat contradictoire à choisir selon l'âge, les intérêts, le niveau des étudiants.
Participants	Enseignant ⟶ classe Groupes Groupe ⟶ classe
Lieu/Moment	Phase d'appropriation
Canal	Direct
Registre	Courant

ACTIVITÉS	ORGANISATION
	Choisir avec la classe un thème qui suscite des opinions contradictoires (thèmes généraux : la drogue, la sexualité, l'autorité, la politique, etc. ; un film, un disque, un chanteur, un sportif, un écrivain, un livre, etc. ; themes particuliers à la classe : une matière, l'organisation de l'enseignement, un professeur, un événement lié à la vie de la classe, etc.).
	Diviser la classe en trois groupes : un pour, un contre, un neutre qui fonctionnera comme arbitre.
Plusieurs possibilités de déroulement du débat : – le groupe pour et le groupe contre ont quelques minutes pour préparer leurs arguments et leur façon d'intervenir, ensuite de quoi chacun présente pendant un temps limité son opinion ; – chaque groupe discute pendant un laps de temps plus long les opinions qu'il présentera ensuite dans une discussion libre ; – laisser s'engager la discussion librement dès le début entre les deux groupes ; – limiter régulièrement le temps d'intervention de chaque groupe.	Laisser les groupes s'organiser comme ils le veulent, soit en désignant un ou plusieurs porte-parole, soit en se répartissant les interventions, soit en laissant chaque membre prendre la parole librement.
Le groupe neutre choisit celui qui a été le plus convaincant, en justifiant son choix.	
	Terminer la séance avec une discussion générale sur les raisons du choix du groupe arbitre.

32 *Résumer une discussion*

Fonction	Exprimer → approuver/désapprouver une idée, une opinion, un sentiment. Relater → confirmer/démentir un fait, un événement, une expérience.
Intention pédagogique	Exercer les étudiants à l'expression d'une idée, d'une opinion, d'un sentiment pour faire le résumé d'une discussion.
Objectif global d'apprentissage	Utiliser librement, selon ses possibilités et ses intentions, les énoncés nécessaires à l'expression d'idées, d'opinions, de sentiments. Résumer les idées, les opinions, les sentiments exprimés par les divers interlocuteurs d'une discussion.
Contenu	Thèmes de débat contradictoire à choisir selon l'âge, les intérêts, le niveau des étudiants.
Participants	Enseignant → classe Groupes Enseignant → groupe 1 apprenant → groupe
Lieu/Moment	Phase d'appropriation
Canal	Direct
Registre	Courant

ACTIVITÉS	ORGANISATION
	Choisir avec la classe un thème qui suscite les opinions contradictoires ou laisser chaque groupe décider le sujet de sa discussion (l'autorité, la religion, la drogue, les églises, la politique ; un chanteur, un livre, un sportif ; un professeur, un événement de la vie de la classe, le matériel pédagogique utilisé).
	Former plusieurs groupes.
Chaque groupe discute librement.	Périodiquement, des membres de chaque groupe échangent leur place.
Périodiquement un ou deux membres de chaque groupe vont dans un autre et se mêlent à la discussion en demandant : « De quoi discutez-vous ? » « Où en êtes-vous ? » « Quelles sont vos opinions ? » « Quels ont été les arguments développés ? » « Quelles sont vos conclusions ? »	L'enseignant passe de groupe en groupe pour se mêler à la discussion.
Un membre du groupe résume l'état de la discussion.	
La discussion continue avec les nouveaux membres.	Conclure par une brève discussion. Dans certaines situations, on est parfois amené à exprimer les opinions, les idées, les sentiments des autres. Il convient alors de le faire avec objectivité en essayant de les déformer le moins possible. Savoir écouter, se mettre à la place de l'autre sont des aptitudes indispensables à la communication.

33 *Parler avec précaution*

Fonction	Exprimer ⟶ approuver/désapprouver une idée, une opinion, un sentiment.
Intention pédagogique	Montrer qu'on ne peut pas toujours exprimer une opinion, un jugement directement, notamment lorsqu'ils se rapportent à des personnes, et qu'il convient alors de le faire avec précaution et des détours.
Objectif global d'apprentissage	Trouver deux ou trois moyens détournés d'exprimer une opinion, un jugement sur une personne. Utiliser les énoncés adéquats pour exprimer, de façon détournée, une opinion, un jugement sur une personne.
Contenu	Parler librement de quelqu'un (du professeur, du directeur, des autres étudiants, de ses parents, etc.) et en parler avec précaution.
Participants	Enseignant ⟶ classe Groupes
Lieu/Moment	Sensibilisation à la communication orale
Canal	Direct
Registre	Courant

ACTIVITÉS	ORGANISATION
	Rappeler qu'une partie appréciable des conversations consiste à parler des autres. Mais, suivant la situation et les interlocuteurs en présence, on ne peut pas exprimer son opinion ouvertement et directement, notamment si la personne dont on parle a des liens quelconques avec un des interlocuteurs présents et si les opinions émises sont critiques, ou si, tout simplement, l'on porte un jugement qui n'est pas favorable sur une des personnes présentes.
	Former des groupes.
Chaque groupe parle d'abord le plus librement possible et de façon critique (lorsqu'on parle de quelqu'un, c'est le plus souvent, hélas, pour en dire du mal !) d'un étudiant de la classe, du professeur, du directeur ou d'une autre personne connue du groupe.	Demander à la classe de jouer le jeu et de ne pas être hypocrite. Que chacun réfléchisse un instant au temps qu'il passe dans sa vie à parler, le plus souvent de façon critique, des autres !
Il cherche ensuite deux ou trois moyens d'exprimer les mêmes opinions critiques, mais de façon détournée.	L'enseignant passe de groupe en groupe pour influencer les discussions.
La discussion reprend, soit en présence de l'enseignant (à cause de son autorité, on ne peut pas tout dire), soit en présence de l'étudiant critiqué ou de l'un de ses amis qu'on aura appelé dans le groupe.	
	Conclure par une brève discussion sur les multiples façons d'exprimer un jugement ou une opinion critiques sur une personne sans la blesser.

34 *a) Proposer - b) Convaincre*

Fonction	Demander ⟶ offrir/refuser une chose, une information, un service. Exprimer ⟶ approuver/désapprouver une idée, une opinion, un sentiment.
Intention pédagogique	Exercer les étudiants à l'expression d'une idée, d'une opinion, d'un sentiment pour présenter une proposition.
Objectif global d'apprentissage	Trouver trois à cinq arguments pour justifier une proposition. Utiliser librement, selon ses possibilités et ses intentions, les énoncés nécessaires à la présentation convaincante d'une proposition.
Contenu	Un groupe d'étudiants fait une proposition à l'enseignant ou à la classe : changer de matériel d'enseignement ; acheter un transistor ; faire une excursion ; organiser un bal masqué ; supprimer le contrôle des présences ; etc.
Participants	Enseignant ⟶ classe Groupes Groupe ⟶ classe Enseignant ⟶ groupe
Lieu/Moment	Phase d'appropriation
Canal	Direct
Registre	Courant

(Voir, pp. 125-128, l'application de cette activité)

ACTIVITÉS	ORGANISATION
	Expliquer brièvement que, lorsqu'on veut faire une proposition à quelqu'un, il importe de savoir en présenter les avantages et de trouver des arguments convaincants pour la justifier. Mais on peut utiliser en même temps des moyens sentimentaux pour faire accepter une proposition : cajolerie, promesses, menace, etc. Former plusieurs groupes. L'enseignant n'intervient en aucune manière.
Chaque groupe discute la proposition qu'il va faire, soit à l'enseignant, soit à la classe : par exemple : supprimer les devoirs à la maison, consacrer un après-midi midi à des activités sportives, faire une collecte pour la Croix-Rouge, organiser une manifestation de solidarité ou de protestation, etc. Il cherche ensuite les arguments qui lui paraissent les plus convaincants et les moyens sentimentaux les mieux adaptés (« Si vous acceptez, nous serons sages comme des images. » « Allez, laissez-vous tenter, vous verrez, ce sera sensationnel ! » « Si vous refusez, nous ferons grève. » etc.	
Chaque groupe présente enfin sa proposition, soit à l'enseignant, soit à la classe selon son contenu.	Laisser les groupes intervenir comme ils l'entendent, soit en désignant un ou deux porte-parole, soit en présentant la proposition comme groupe. Conclure par une discussion sur les différentes propositions et choisir celle qui a été présentée de la façon la plus convaincante.

35 *Non, nous ne porterons pas de cravate!*

Fonction	Exprimer ⟶ approuver/désapprouver une idée, une opinion, un sentiment.
Intention pédagogique	Exercer les étudiants à l'expression d'une idée, d'une opinion, d'un sentiment pour protester contre une décision ou une opinion qu'ils ne peuvent pas accepter.
Objectif global d'apprentissage	Trouver trois à cinq arguments pour protester contre une décision ou une opinion inacceptable. Utiliser librement, selon ses possibilités et ses intentions, les énoncés nécessaires à la protestation.
Contenu	Protester contre une décision ou une opinion inacceptable : dès demain, il y aura tous les jours de deux à quatre heures de devoirs à la maison ; interdiction de fumer dans les couloirs ; les Noirs sont des êtres inférieurs ; dès demain, tous les étudiants devront porter la cravate ; etc.
Participants	Enseignant ⟶ classe Groupes Enseignant ⟶ groupe
Lieu/Moment	Phase d'appropriation Sensibilisation à la communication
Canal	Direct
Registre	Courant

ACTIVITÉS	ORGANISATION
	Annoncer, par exemple, sans aucun commentaire : « Dès demain, je ne veux plus voir un seul étudiant dans ma classe avec des cheveux longs et plus une seule étudiante avec des jeans ! »
	Attendre les premières réactions de stupeur et de protestation spontanée.
	Former plusieurs groupes et expliquer que, s'ils veulent protester contre cette décision irrévocable, ils doivent justifier leur protestation par des arguments expliquant les raisons de leur mécontentement.
Chaque groupe discute les arguments qu'il va présenter pour protester contre cette décision à ses yeux inacceptable.	L'enseignant n'intervient en aucune manière.
Chaque groupe, à tour de rôle, expose ses arguments.	Procéder de la même manière avec une opinion, une déclaration, comme par exemple : « Toutes les femmes sont bêtes et futiles ! »
On choisit enfin le groupe qui a protesté avec le plus de conviction, de force, d'efficacité.	
	Conclure par une discussion sur la nécessité de justifier une protestation. Il ne sert à rien de dire qu'on n'est pas d'accord, encore faut-il être capable d'expliquer pourquoi.

36 *Savoir négocier*

Fonction	Exprimer ⟶ approuver/désapprouver une idée, une opinion, un sentiment.
Intention pédagogique	Exercer les étudiants à l'expression d'une idée, d'une opinion, d'un sentiment pour essayer de modifier une décision prise et arriver à un compromis.
Objectif global d'apprentissage	Trouver trois à cinq arguments pour essayer de modifier une décision prise et arriver à un compromis. Utiliser librement, selon ses possibilités et ses intentions, les énoncés nécessaires à la conclusion d'un compromis.
Contenu	Modifier une décision telle que : dès demain, on commencera la classe à six heures du matin ; on supprimera toutes les pauses ; interdiction de porter des bijoux ou des bibelots ; la classe ira en colonne par quatre au réfectoire ; etc.
Participants	Enseignant ⟶ classe Groupes Enseignant ⟶ groupe
Lieu/Moment	Phase d'appropriation Sensibilisation à la communication orale
Canal	Direct
Registre	Courant

ACTIVITÉS	ORGANISATION
	Annoncer, par exemple, sans aucun commentaire : « Dès demain, vous arriverez tous les jours une demi-heure plus tôt ! »
	Attendre les premières réactions d'étonnement et de protestation spontanée.
	Former plusieurs groupes et expliquer que bien que cette décision soit irrévocable, il est encore possible de discuter l'heure exacte d'arrivée.
	L'enseignant n'intervient en aucune manière.
Chaque groupe discute les arguments qu'il va présenter pour essayer de changer cette décision.	
Chaque groupe, à tour de rôle, expose ses arguments.	
On choisit enfin le groupe qui a le mieux négocié.	
	Conclure par une discussion sur l'art de la négociation et sur la nécessité, lorsqu'on n'est pas d'accord avec quelqu'un, d'arriver à des compromis. Présenter des arguments convaincants, évidents, des points de vue sensés, aller à la rencontre de l'autre tout en maintenant son opinion, montrer juste assez d'agressivité pour paraître fort, etc. tels sont les moyens dont il faut user pour négocier.

37 *Votre choix sera celui que j'ai choisi*

Fonction	Exprimer ⟶ approuver/désapprouver une idée, une opinion, un sentiment.
Intention pédagogique	Exercer les étudiants à l'expression d'une idée, d'une opinion, d'un sentiment pour prendre une décision à partir de propositions opposées.
Objectif global d'apprentissage	Trouver trois à cinq arguments permettant d'influencer une prise de décision. Utiliser librement, selon ses possibilités et ses intentions, les énoncés nécessaires pour influencer une prise de décision.
Contenu	Prendre une décision à partir de propositions opposées : organiser un bal masqué ou une excursion ; organiser une soirée à tel ou tel endroit ; soutenir tel ou tel parti d'étudiants ; choisir entre tel ou tel matériel pédagogique ; etc.
Participants	Enseignant ⟶ classe Groupes Groupe ⟶ groupe
Lieu/Moment	Phase d'appropriation
Canal	Direct
Registre	Courant

ACTIVITÉS	ORGANISATION
	Expliquer brièvement que lorsqu'un groupe doit prendre une décision, ce sont en général les membres qui parviennent à présenter les arguments les plus évidents et convaincants et qui savent le mieux les exprimer qui l'emportent. Souvent des moyens complémentaires sont également utilisés, avouables ou inavouables, pour arracher une décision : promesse, menace, corruption, appel à la vanité, etc.
	Si la classe doit prendre une décision dans un domaine ou un autre de sa vie, saisir cette occasion pour organiser la discussion.
	Sinon, elle choisit un thème de prise de décision : s'inscrire à tel ou tel parti ; prendre part à telle ou telle manifestation ; faire telle ou telle excursion ; etc.
	Former plusieurs groupes selon les opinions.
Chaque groupe discute les arguments qu'il va présenter pour que la décision soit prise dans le sens qu'il désire.	
Il cherche d'autres moyens éventuels d'influencer la prise de décision.	L'enseignant n'intervient en aucune manière.
Ensuite chaque groupe développe dans une discussion générale ou à tour de rôle ses arguments.	Laisser les groupes s'organiser comme ils l'entendent.
Enfin on passe à un vote pour savoir quelle décision prendre.	
	Conclure par une brève discussion sur les groupes d'influence et sur la nécessité de savoir présenter des arguments convaincants pour s'imposer dans la vie sociale.

38 *Les mêmes mots avec des sentiments différents*

Fonction	Demander ⟶ offrir/refuser une chose, une information, un service. Établir ⟶ maintenir/rompre un contact social. Exprimer ⟶ approuver/désapprouver une idée, une opinion, un sentiment.
Intention pédagogique	Montrer que l'expression d'un sentiment s'ajoute souvent à l'utilisation d'un acte de parole suivant la situation.
Objectif global d'apprentissage	Trouver trois à cinq façons différentes d'utiliser un même acte de parole en exprimant des sentiments différents.
Contenu	S'adresser à quelqu'un, demander, donner ou refuser une chose, une information, un service en exprimant un sentiment différent : l'agacement, l'indifférence, l'étonnement, le mépris, l'amabilité, la gaieté, le plaisir, etc.
Participants	Enseignant ⟶ classe Groupes Groupe ⟶ classe
Lieu/Moment	Sensibilisation à la communication orale
Canal	Direct
Registre	Selon les situations choisies.

ACTIVITÉS	ORGANISATION
	Montrer par des exemples que l'on peut s'adresser à quelqu'un, demander, donner ou refuser une chose, une information, un service tout en exprimant des sentiments différents suivant son humeur, les relations que l'on a avec l'interlocuteur, la situation dans laquelle on se trouve : « Salut ! » peut être dit avec plaisir, indifférence, mépris ; « Tu as rencontré Paul ? » peut être exprimé avec angoisse, surprise, espoir, envie, jalousie, etc.
	Former plusieurs groupes.
Chaque groupe cherche d'abord quelques situations dans lesquelles interviennent les fonctions établir ⟶ maintenir/rompre un contact social et demander ⟶ offrir/refuser une chose, une information, un service.	
Il décrit les différents éléments de ces situations : participants, lieu, moment, registre, canal, contenu.	L'enseignant passe de groupe en groupe pour une aide éventuelle.
Il choisit ensuite trois à cinq façons d'utiliser les actes de parole correspondant à ces situations en fonction d'une expression d'un sentiment différent.	
Chaque groupe interprète enfin quelques situations. *Exemple :* « Eh ! Louise, tu viens ? Nous sommes en retard. » « Oh ! la barbe. » « Ma chérie, sois gentille, dépêche-toi, nous sommes terriblement en retard. » « Mais oui, mon amour, j'arrive. »	
	Conclure avec une discussion générale sur les diverses façons d'utiliser les mêmes actes de parole et souvent les mêmes énoncés selon les situations et les intentions.

39 *Le même événement avec des sentiments différents*

Fonction	Relater → confirmer/démentir un fait, un événement, une expérience. Exprimer → approuver/désapprouver une idée, une opinion, un sentiment.
Intention pédagogique	Montrer que l'expression d'un sentiment s'ajoute souvent à l'utilisation d'un acte de parole suivant la situation.
Objectif global d'apprentissage	Trouver trois à cinq façons différentes d'utiliser un même acte de parole en exprimant des sentiments différents.
Contenu	Relater un fait, un événement, une expérience en exprimant des sentiments différents : la tristesse, le bonheur, le respect, l'indignation, l'émotion, l'amour, l'amitié, etc.
Participants	Enseignant → classe Groupes Groupe → classe
Lieu/Moment	Sensibilisation à la communication orale
Canal	Direct
Registre	Selon les situations choisies

ACTIVITÉS	ORGANISATION
	Montrer par des exemples que suivant le fait, l'événement, l'expérience que l'on raconte, suivant son humeur et la personnalité de l'interlocuteur, suivant la situation dans laquelle on se trouve, le récit que l'on fait peut exprimer des sentiments différents : on n'évoque pas un enterrement de la même façon qu'on raconte une histoire drôle ; mais, suivant la situation, un enterrement peut devenir une histoire drôle ; en racontant un même voyage, on peut exprimer l'ennui, l'enthousiasme, la nostalgie, le dégoût suivant ce que l'on veut avouer à son interlocuteur ; une expérience amoureuse peut être évoquée avec douleur, plaisir, regret, passion ; etc.
	Former plusieurs groupes.
Chaque groupe cherche quelques faits, événements, expériences que l'on peut, soit à cause de leur contenu raconter en exprimant des sentiments différents, soit à cause de la situation et des interlocuteurs relater différemment.	
Il décrit les différents éléments des situations : participants, lieu, moment, registre, canal, contenu.	L'enseignant passe de groupe en groupe pour une aide éventuelle.
Il choisit ensuite trois à cinq façons d'utiliser les actes de parole correspondant à ces situations et à la relation des faits, événements, expériences en fonction d'une expression d'un sentiment différent.	
Chaque groupe interprète enfin quelques situations.	
	Conclure par une discussion sur les différentes façons de faire un récit suivant son contenu, les interlocuteurs et la situation.

40 *La même idée avec des sentiments différents*

Fonction	Exprimer ⟶ approuver/désapprouver une idée, une opinion, un sentiment.
Intention pédagogique	Montrer que l'expression d'un sentiment s'ajoute souvent à l'utilisation d'un acte de parole suivant la situation.
Objectif global d'apprentissage	Trouver trois à cinq façons différentes d'utiliser un même acte de parole en exprimant des sentiments différents.
Contenu	Exprimer une idée, une opinion avec des sentiments différents : l'enthousiasme, la passion, l'hésitation, le doute, le scepticisme, l'admiration, la peur, l'agressivité, etc.
Participants	Enseignant ⟶ classe Groupes Groupe ⟶ classe
Lieu/Moment	Sensibilisation à la communication orale
Canal	Direct
Registre	Selon les situations choisies

ACTIVITÉS	ORGANISATION
	Montrer par des exemples qu'on peut, suivant son humeur et sa personnalité, exprimer une idée, une opinion avec des sentiments différents : on peut ne pas être d'accord avec tendresse, violence, passion, compréhension ; on peut lancer une idée avec fermeté, autorité, hésitation, flagornerie ; on peut faire une proposition avec cajolerie, tendresse, menace, vanité, orgueil ; etc.
	Former plusieurs groupes.
Chaque groupe choisit quelques thèmes de discussion susceptibles de créer des oppositions parmi ses membres.	
Il définit ensuite, en fonction de la personnalité de ses membres, les différents sentiments que chacun va exprimer en défendant ses opinions.	L'enseignant passe de groupe en groupe pour une aide éventuelle.
Le groupe discute un des thèmes retenus, chaque membre jouant le rôle qu'il a reçu.	
S'exercer enfin à jouer d'autres rôles dans la discussion.	
	Conclure par une discussion générale sur la façon particulière qu'a chaque individu de s'exprimer, reflet de sa personnalité, et sur la difficulté de jouer des rôles.

41 *Je regarde... et je découvre la situation*

Fonction	Selon la situation illustrée.
Intention pédagogique	Montrer que la communication orale se produit toujours dans une situation et que celle-ci comporte des éléments qui peuvent être déterminants pour le choix des actes de parole.
Objectif global d'apprentissage	Analyser les éléments d'une situation de communication à partir d'une illustration visuelle. Utiliser un à trois énoncés possibles dans la situation illustrée.
Contenu	Diapositives, photos, dessins, bandes dessinées illustrant les situations de communication les plus diverses : scènes de la vie courante, interviews, discours, etc.
Participants	Enseignant ⟶ classe Groupes Enseignant ⟶ groupe
Lieu/Moment	Sensibilisation à la communication orale.
Canal	Direct
Registre	Selon la situation illustrée.

ACTIVITÉS	ORGANISATION
	Mettre en évidence que « tout énoncé (parlé) est réalisé dans une situation spatio-temporelle particulière qui comprend le locuteur, l'auditeur, les actions qu'ils font à ce moment-là et divers objets et événements extérieurs. » (Lyons J. : *Linguistique générale, Introduction à la linguistique théorique*, Paris, Larousse, 1970, p. 317)
	Montrer plusieurs exemples les uns après les autres : scènes tirées d'un film fixe illustrant un dialogue d'une méthode audio-visuelle, dessins humoristiques, bandes dessinées, photos illustrant une rencontre politique, un discours, l'interview d'une personnalité, diapositives illustrant des scènes de la vie de tous les jours, etc.
	Former plusieurs petits groupes.
Présenter une illustration, soit en projection, soit en distribuant aux groupes un document visuel.	
Chaque groupe établit une liste des éléments constitutifs de la situation et pour chaque élément une autre liste de traits caractéristiques les décrivant.	L'enseignant passe de groupe en groupe pour une aide éventuelle.
Procéder à la même opération avec plusieurs documents visuels différents.	
Chaque groupe présente deux ou trois listes.	
Établir en commun un schéma-type de description : participants (identité, personnalité, nombre) ; moment ; lieu (décor) ; actions ; événements ; gestes ; mimique ; etc.	
	Conclure en faisant deviner par la classe un à trois énoncés possibles dans quelques situations différentes.

42 *J'écoute... et je découvre la situation*

Fonction	Selon la situation choisie.
Intention pédagogique	Montrer que la communication orale se produit toujours dans une situation et que celle-ci comporte des éléments qui peuvent être déterminants pour le choix des actes de parole.
Objectif global d'apprentissage	Analyser les éléments d'une situation de communication à partir d'un document sonore.
Contenu	Enregistrements de différentes situations de communication orale : dialogues d'une méthode audio-visuelle, diverses conversations prises sur le vif, discours officiels, interviews radiophoniques, bulletins d'informations, etc.
Participants	Enseignant → classe Groupes Enseignant → groupe
Lieu/Moment	Sensibilisation à la communication orale.
Canal	Direct et indirect (magnétophone, lecteur de cassettes)
Registre	Selon les documents sonores choisis.

ACTIVITÉS	ORGANISATION
	Rendre attentif au fait qu'une situation de communication orale met en œuvre d'abord des éléments sonores.
	Présenter, l'un après l'autre, plusieurs documents sonores illustrant des situations de communication orale différentes : dialogue enregistré d'une méthode audiovisuelle, enregistrement de conversations réalisé par un étudiant, discours officiel, interview d'une vedette, etc.
	Former plusieurs groupes.
Présenter un premier document sonore deux ou trois fois.	
Chaque groupe établit une première liste des éléments sonores qui lui permettent d'identifier la situation de communication : nombre des participants, identité (à partir de la voix des interlocuteurs : femme, homme, enfant), personnalité (éventuellement à partir de la voix ou du contenu des actes de parole), lieu, moment (éventuellement à partir de bruits ou du contenu), etc.	L'enseignant passe de groupe en groupe pour une aide éventuelle. Il est également à disposition pour faire entendre des passages ou l'ensemble du document sonore.
Chaque groupe établit une seconde liste décrivant la fonction générale des actes de parole et leur registre.	
Procéder à la même opération avec plusieurs documents sonores très différents.	
Chaque groupe présente deux ou trois listes.	
	Conclure par une brève discussion sur la différence entre l'analyse visuelle et l'analyse sonore des situations de communication (cette dernière étant beaucoup plus délicate) et en établissant un schéma-type de description des éléments sonores permettant d'identifier une situation.

43 *Le choix est limité*

Fonction	Selon la situation présentée.
Intention pédagogique	Montrer que certaines situations de communication sont contraignantes et qu'elles imposent un choix limité d'actes de parole.
Objectif global d'apprentissage	Analyser les éléments qui rendent une situation de communication contraignante. Utiliser les énoncés possibles dans une situation contraignante.
Contenu	Documents visuels, sonores, audio-visuels (selon les moyens techniques à disposition) présentant des situations de communication dont certains éléments limitent le choix des actes de parole : magasin (vendeur-acheteur), église, agent de police et automobiliste en stationnement interdit, gestes indiquant une action précise (« sortez ! », « non », « il est fou ! », etc.)
Participants	Enseignant ⟶ classe Groupes Groupe ⟶ classe
Lieu/Moment	Sensibilisation à la communication orale.
Canal	Direct et éventuellement indirect (magnétophone, lecteur de cassettes, film, magnétoscope)
Registre	Selon la situation présentée.

ACTIVITÉS	ORGANISATION
	Relever le fait que dans certaines situations de communication certains éléments, certains traits, qu'on peut appeler pertinents, imposent un choix limité d'actes de communication et de parole. Il est fort probable, par exemple, que dans un lieu comme un magasin, entre un vendeur et un acheteur, le type d'actes de parole soit assez facilement prévisible. Selon les possibilités techniques, présenter un document visuel, sonore ou audio-visuel : photo, dessin, bande dessinée distribués aux différents groupes ; diapositives ; film fixe ; enregistrement magnétoscope ; bande magnétique ; cassette ; etc. Former plusieurs groupes. L'enseignant passe de groupe en groupe pour une aide éventuelle.
Chaque groupe énumère d'abord les éléments visuels et/ou sonores (bruits) qui rendent la situation présentée contraignante et essaye d'en décrire les traits pertinents. Il cherche ensuite les actes de parole et de communication ainsi que les énoncés possibles et probables correspondant le mieux à la situation. Chaque groupe fait part à la classe du résultat de ses recherches. Il imagine ensuite trois situations contraignantes et en décrit les traits pertinents ainsi que les actes de communication et de parole et les énoncés correspondants. Deux ou plusieurs de ses membres jouent devant la classe la situation imaginée.	
	Conclure par une brève discussion sur les éléments et les traits pertinents qu'on peut aisément isoler dans certaines situations contraignantes mais qu'il est plus difficile de repérer dans d'autres types de situation.

44 *Il y a bien des façons de le dire*

Fonction	Selon la situation présentée.
Intention pédagogique	Montrer que, si certaines situations de communication sont contraignantes et imposent un choix limité d'actes de parole, le nombre des énoncés permettant de réaliser ces derniers peut être très large.
Objectif global d'apprentissage	Analyser les éléments qui rendent une situation contraignante. Utiliser le plus grand nombre d'énoncés possibles dans une situation contraignante.
Contenu	Documents sonores, visuels, audio-visuels présentant des situations de communication dont certains éléments limitent le choix des actes de parole : une personne saluant une autre personne à l'entrée d'une maison, un contrôleur dans un wagon de chemin de fer, une hôtesse de l'air accueillant ses passagers à l'entrée d'un avion, etc.
Participants	Enseignant ⟶ classe Groupes Groupe ⟶ classe
Lieu/Moment	Sensibilisation à la communication orale.
Canal	Direct et éventuellement indirect (magnétophone, lecteur de cassettes, film, magnétoscope).
Registre	Selon la situation présentée.

ACTIVITÉS	ORGANISATION
	Mettre en évidence le fait que les possibilités de réaliser un acte de communication, même dans une situation contraignante, sont, le plus souvent, très nombreuses. Maîtriser une langue revient, en fait, à savoir choisir parmi toutes ces possibilités la plus adéquate par rapport à la situation donnée.
	Selon les possibilités techniques, présenter un document visuel, sonore ou audio-visuel : photo, dessin, bande dessinée distribués aux différents groupes ; projection de diapositives, films fixes, films muets ou sonores, etc.
	Former plusieurs groupes.
Chaque groupe énumère d'abord les éléments visuels et/ou sonores qui rendent la situation présentée contraignante et essaye d'en décrire les traits pertinents.	
Il cherche ensuite le plus grand nombre possible d'énoncés pouvant réaliser les actes de parole correspondant à la situation contraignante (différentes façons d'exprimer une demande, différentes formules d'adresse, etc.).	L'enseignant passe de groupe en groupe pour une aide éventuelle.
Chaque groupe présente à la classe le résultat de ses recherches.	
On fait en commun l'inventaire des possibilités.	
Des membres de chaque groupe interprètent, à tour de rôle, la situation avec des énoncés différents.	
	Conclure par une brève discussion sur la valeur des interprétations et du choix des énoncés par rapport à la situation.

45 *Conversation en liberté*

Fonction

Selon la situation présentée.

Intention pédagogique

Montrer que certaines situations ne sont pas contraignantes et que le nombre des possibilités d'actes de parole y est très grand.

Objectif global d'apprentissage

Analyser les éléments d'une situation non contraignante.
Utiliser dix énoncés différents possibles dans cette situation.

Contenu

Documents sonores, visuels, audio-visuels présentant des situations non contraignantes, c'est-à-dire dans lesquelles le nombre des actes de parole possibles est très grand : conversations dans un café, à la maison, dans la rue, dans un wagon de chemin de fer, etc.

Participants

Enseignant → classe
Groupes
Groupe → classe

Lieu/Moment

Sensibilisation à la communication orale.

Canal

Direct et éventuellement indirect (magnétophone, lecteur de cassettes, film, magnétoscope).

Registre

Selon la situation présentée.

ACTIVITÉS	ORGANISATION
	Expliquer que lorsqu'on voit certaines situations de communication, on a beaucoup de peine à imaginer ce que les participants se disent exactement, parce que les éléments pertinents font défaut.
	Présenter un document audio-visuel, mais sans le son, illustrant une situation non contraignante : conversation dans un café, par exemple, extraite d'un film sonore ou d'une séquence télévisée.
	Former plusieurs groupes.
Chaque groupe cherche une demi-douzaine de sujets de conversation possibles dans la situation présentée.	Si l'on ne possède pas de moyen de projection audio-visuelle, travailler à partir d'un document visuel et imaginer dix énoncés possibles pour cinq répliques de chaque participant de la situation présentée.
Il analyse ensuite les éléments de la situation non contraignante en essayant de décrire pourquoi ils ne sont pas pertinents.	L'enseignant passe de groupe en groupe pour une aide éventuelle.
Chaque groupe cherche ensuite une dizaine d'énoncés possibles différents pour cinq répliques de chaque participant d'une conversation imaginée à partir de la situation.	
Chaque groupe présente ensuite deux ou trois possibilités de conversations.	
Présenter le document avec le son et comparer avec les différentes versions des groupes.	
	Conclure en montrant quelques exemples opposés de situations contraignantes et non contraignantes.

46 *Attention à ce que vous dites !*

Fonction	Selon les situations choisies.
Intention pédagogique	Montrer qu'on ne peut pas, parfois, dire n'importe quoi, à n'importe qui, n'importe où, n'importe quand et n'importe comment sans entraîner des conséquences gênantes, dramatiques, graves, drôles.
Objectif global d'apprentissage	Décrire cinq situations où un acte de parole peut entraîner des conséquences, soit gênantes, soit dramatiques, soit graves, soit drôles. Utiliser les énoncés correspondant aux situations.
Contenu	Dessins humoristiques, bandes dessinées, extraits de films, d'enregistrements présentant une situation de communication exceptionnelle : juron, injures, plaisanteries faites au mauvais moment, expression d'un sentiment, d'une opinion, d'une décision créant une tension,agressivité, etc.
Participants	Enseignant → classe Groupes Groupe → classe
Lieu/Moment	Sensibilisation à la communication orale.
Canal	Direct et éventuellement indirect.
Registre	Selon les situations choisies.

ACTIVITÉS	ORGANISATION
	Montrer que suivant la situation, c'est-à-dire les participants, le lieu, le moment, dans laquelle est produit un acte de parole, celui-ci peut avoir des conséquences inattendues qui peuvent être gênantes, dramatiques, graves, drôles pour l'un ou tous les interlocuteurs.
	Donner des exemples : injurier une personne qui détient un pouvoir d'autorité ; prononcer un juron dans une société distinguée ; annoncer une mort subite à quelqu'un ; faire une plaisanterie sur quelqu'un qui vient d'avoir un accident ; mots d'enfant ; lapsus ; etc.
	Montrer ou faire entendre des exemples : dessins humoristiques, satiriques présentant des situations exceptionnelles ou explosives (*Canard Enchaîné*, *Charlie Hebdo*, *Hara Kiri*, *Punch . . .*) ; extraits de pièce de théâtre (drames, comédies) ou de films.
	Former des groupes.
	L'enseignant passe de groupe en groupe pour une aide éventuelle.
Chaque groupe cherche cinq situations exceptionnelles et les décrit brièvement.	
Ensuite il définit le ou les actes de parole et le ou les énoncés correspondants qui provoquent dans la situation déterminée la conséquence gênante, dramatique, grave, drôle.	Les groupes ne décrivent pas les situations, les actes de parole ou les énoncés par écrit. Ce travail se fait essentiellement oralement avec d'éventuelles notes par écrit comme aide-mémoire. Cette recherche en groupe permet une communication orale authentique entre ses différents membres.
Chaque groupe présente enfin plusieurs situations et les interprète.	
	Conclure en demandant à la classe si elle peut donner encore d'autres exemples que certains de ses membres auraient personnellement vécus.

47 *Il faut toujours prévoir l'imprévu*

Fonction	Selon les conversations enregistrées et les énoncés produits.
Intention pédagogique	Montrer que dans une situation de communication orale on ne peut jamais prévoir exactement ce qu'on va dire et ce que les interlocuteurs vont dire.
Objectif global d'apprentissage	Deviner, avec le plus d'exactitude possible, les énoncés produits par les participants d'une communication orale enregistrée. Utiliser un énoncé en rapport avec un autre énoncé produit par un étudiant.
Contenu	Enregistrements de conversations entre deux ou plusieurs interlocuteurs : dialogues enregistrés d'une méthode audio-visuelle, conversations prises sur le vif (demander à des étudiants possédant des enregistreurs d'enregistrer des conversations, si possible dans la langue étrangère apprise, sinon dans la langue maternelle), interviews, etc.
Participants	Enseignant → classe Enseignant → 1 apprenant 1 apprenant → 1 apprenant
Lieu/Moment	Sensibilisation à la communication orale.
Canal	Direct et indirect (magnétophone, lecteur de cassettes, magnétoscope)
Registre	Selon les conversations enregistrées.

ACTIVITÉS	ORGANISATION
	Mettre en évidence ce fait fondamental que savoir une langue, c'est être capable de réagir à l'imprévu de la communication orale. En effet, on ne peut jamais prévoir exactement ce qu'on sera amené à dire par rapport à la réaction d'un interlocuteur qui, elle aussi, a été imprévisible.
Faire entendre la première intervention d'une conversation enregistrée entre deux ou plusieurs personnes.	
Faire deviner par la classe la réplique du premier interlocuteur à cette intervention.	
Faire entendre la réplique originale.	
Continuer ainsi jusqu'à la fin de la conversation.	Exécuter éventuellement la même activité avec plusieurs types de conversations.
Demander à un étudiant de dire n'importe quoi.	
Demander à son voisin d'enchaîner immédiatement.	Faire le même jeu en constituant une histoire suivie.
Et ainsi de suite jusqu'au dernier étudiant.	
	Conclure avec une discussion générale sur la nécessité d'avoir le courage d'affronter l'imprévu des communications orales pour apprendre une langue étrangère.

48 *Savoir tenir son rôle*

Fonction	Selon la situation de communication choisie.
Intention pédagogique	Montrer que les participants d'une situation de communication sont un des éléments les plus importants de son analyse et qu'un même acte de parole peut prendre différente forme suivant leur identité et leur personnalité.
Objectif global d'apprentissage	Décrire cinq types différents de relation entre des participants d'une situation de communication orale. Utiliser des énoncés correspondant aux cinq types de relation et réalisant le même acte de parole.
Contenu	Types de relation : dame âgée → enfant ; directeur puissant, riche, autoritaire → employé timide, soumis ; père tolérant → fils agressif ; père autoritaire → fille obéissante ; copain → copain ; etc.
Participants	Enseignant → classe Groupes Groupe → classe
Lieu/Moment	Sensibilisation à la communication orale.
Canal	Direct
Registre	Selon les différents types de relation.

ACTIVITÉS	ORGANISATION
	Rappeler l'importance que jouent l'identité et surtout la personnalité dans l'établissement de relations entre participants d'une situation de communication : par exemple, un jeune homme de dix-huit ans, étudiant, n'empruntera pas de la même façon 500 F pour s'acheter un vélomoteur, s'il s'adresse : à un employé de banque, à son père, à sa mère, à son parrain, à sa petite amie, à un copain, à une connaissance, à un ami d'occasion, etc.
	Former des groupes.
	L'enseignant passe de groupe en groupe pour une aide éventuelle.
Chaque groupe cherche et décrit d'abord cinq types de relations différentes entre des participants d'une situation de communication. Décrire surtout les traits des participants qui seront déterminants dans l'établissement des relations.	
Choisir ensuite un acte de communication et de parole qui pourra être interprété de façon différente selon les types de relations décrits.	Les groupes ne décrivent pas les actes de parole, les énoncés, les situations par écrit. Ce travail de recherche et de description doit être conçu et interprété par les étudiants essentiellement comme un prétexte à communiquer oralement de façon authentique.
Proposer un ou deux énoncés possibles correspondant aux différents types de relations décrits et caractéristiques par rapport à l'identité et la personnalité des participants.	
Chaque groupe présente à la classe ses cinq interprétations, éventuellement en les jouant.	
	Conclure par une brève discussion sur les différentes interprétations et sur l'importance des rôles que nous sommes tous obligés de jouer dans les situations de communication que nous vivons tous les jours.

49 *Et nous revoilà dans la classe!*

Fonction	Selon la situation de communication propre à la classe de langues.
Intention pédagogique	Montrer que la situation dans laquelle se trouvent les étudiants dans la classe de langues est aussi une situation de communication orale et qu'elle comporte également ses éléments avec leurs traits pertinents.
Objectif global d'apprentissage	Trouver les éléments de la situation de communication propre à la classe de langues. Les énumérer et les décrire.
Contenu	Composantes d'une situation de communication orale : participants, lieu, moment, fonctions, canal.
Participants	Enseignant ⟶ classe Groupes Groupe ⟶ classe
Lieu/Moment	Sensibilisation à la communication orale.
Canal	Direct
Registre	Courant

ACTIVITÉS	ORGANISATION
	Rappeler brièvement les différents éléments qui permettent d'analyser une situation de communication orale.
	Former des groupes.
Chaque groupe décrit les éléments qui constituent la situation de communication de la classe de langues dans laquelle il se trouve.	
Il cherche ensuite quels en sont les traits caractéristiques, pertinents, c'est-à-dire ceux qui font que cette situation ne ressemble à aucune autre.	L'enseignant n'intervient en aucune manière.
Il essaye également de définir les fonctions de langage les plus couramment utilisées.	
Chaque groupe présente à la classe le résultat de ses recherches et de ses discussions.	
Comparaison des résultats.	
	Conclure par une discussion générale sur les caractéristiques de cette situation de communication et sur les possibilités de la changer, si besoin est.

50 *Parler avec les mots et avec les gestes*

Fonction	Selon les énoncés choisis et les situations mimées.
Intention pédagogique	Montrer que, lorsqu'on se trouve dans une situation de communication, on utilise, tout naturellement, dans un énoncé, des éléments linguistiques ainsi que des gestes qui se réfèrent directement à la situation et qui n'ont de sens que par rapport à elle.
Objectif global d'apprentissage	Trouver dix énoncés qui utilisent des éléments linguistiques qui se réfèrent directement à la situation de la classe de langues ainsi que des gestes pouvant les accompagner. Mimer une situation, la décrire et utiliser les énoncés correspondants.
Contenu	Déictiques : démonstratifs, adverbes de lieu et de temps, pronoms personnels. Gestes accompagnant un énoncé : « tu me le donnes ? » + geste désignant l'objet désiré ; « là-bas » + geste indiquant la direction.
Participants	Enseignant → classe 2 apprenants Groupe → groupe
Lieu/Moment	Phase d'appropriation Sensibilisation à la communication orale
Canal	Direct
Registre	Selon les énoncés et les situations choisis.

ACTIVITÉS	ORGANISATION
	Montrer par des exemples que plusieurs éléments d'un énoncé (ceux qu'on appelle en linguistique les déictiques) ainsi que des gestes l'accompagnant permettent de se référer directement à la situation de communication et n'ont de sens que par rapport à elle. Ils font ainsi l'économie de mises au point, d'explications qui, sans eux, seraient indispensables à la compréhension. *Exemples :* « Viens avec moi ! », viens et moi se réfèrent à des personnes présentes dans la situation ; « Prends ceci » prends se réfère à une personne présente et ceci à un objet. « Ouvrez cette fenêtre ! », « cette fenêtre » doit être accompagné d'un geste indiquant laquelle, etc.
	Former des groupes de deux étudiants.
Chaque groupe cherche dix énoncés contenant des déictiques linguistiques et/ou gestuels se rapportant directement à la situation de communication de la classe de langues.	
Chaque groupe présente à la classe quelques exemples.	
	Diviser la classe en trois groupes.
Un groupe cherche rapidement trois situations de communication (par exemple : demander et donner ou refuser du feu, commander une boisson et l'apporter, interpeller quelqu'un pour le prier de venir, etc.) et les mime devant la classe.	
Un autre groupe décrit brièvement les actes de communication mais sans produire les énoncés correspondants (par exemple : X a demandé du feu à Y qui le lui a donné).	Intervertir périodiquement les fonctions et les rôles des groupes.
Le troisième groupe produit les énoncés correspondants (par exemple : « Pardon, vous avez du feu ? » « Mais, bien sûr. » « Merci. » « De rien. »	Conclure en demandant à la classe de mentionner différents déictiques linguistiques et gestuels utilisés dans ces différentes situations mimées.

Exemples

AVERTISSEMENT

Chaque exemple est une description de ce qui s'est passé dans une classe donnée lors de l'application de l'activité indiquée. Pour l'activité N° 7, il s'agissait d'une classe de niveau élémentaire, pour l'activité N° 18 d'une classe de niveau avancé, pour l'activité N° 34 d'une classe de niveau intermédiaire. Celles-ci étaient composées de 14 à 18 étudiants, de diverses nationalités, qui suivaient un cours de français à plein temps à l'Eurocentre de Lausanne. Dans les descriptions, il ne saurait s'agir de démonstrations, ni de conseils didactiques ; nous avons essayé de rendre compte, de façon aussi objective que possible, de ce qui était apparent dans la classe.

7 *Est-il dans la classe ou en dehors de la classe ?* (Exemple)

1. Organisation

1 . 1 *Présentation*

L'enseignant explique que lorsqu'on veut obtenir un renseignement le moyen le plus économique et souvent le plus rapide est de poser des questions fermées en proposant à l'interlocuteur deux éléments de réponses.

Dans la rue, si je cherche la gare, je peux demander à un passant : « Où se trouve la gare ? » C'est une question ouverte. Une longue explication, que je ne comprendrai peut-être pas, peut s'ensuivre. Je peux aussi demander : « La gare est de ce côté ? » Je pose une question fermée ; la probabilité d'obtenir une réponse affirmative ou négative est très grande. Mais je peux aller plus loin et proposer au passant une alternative sous forme d'une question à deux éléments antinomiques, deux éléments opposés (noir ou blanc, grand ou petit) : « Pour aller à la gare, je vais de ce côté-ci ou de ce côté-là ? » Il n'a plus le choix de la réponse.

Ce type de question, cette façon d'imposer une réponse, nous l'utilisons très souvent – parfois sans nous en rendre compte – pour obliger un interlocuteur à prendre position, à donner une réponse qui ne soit pas équivoque. Si une personne hésite à passer la soirée avec moi, pour en avoir le cœur net, je vais lui demander : « Alors, vous partez ou vous restez ? » Je lui pose une question fermée portant sur deux éléments antinomiques ; pour sa réponse, elle n'a le choix qu'entre deux éléments que j'impose.

L'enseignant exerce alors les étudiants à poser ce type de questions dans des situations brièvement décrites : au restaurant, « on prend du vin ou de la bière ? », « on prend du rouge ou du blanc ? », « vous prenez du café ou du thé ? » ; un voyage, « on y va en train ou en voiture ? »

Pour découvrir un sujet, un objet ou un personnage, je peux, en permanence, poser des questions fermées portant sur deux éléments antinomiques en partant des catégories les plus générales. Pour un personnage, je poserai d'abord des questions du type : Est-ce qu'il est vivant ou mort ? C'est un homme ou une femme ? Un homme politique ou un artiste ? J'arrive à des questions plus précises ; par inclusion et exclusion d'éléments divers, le choix tend à se refermer sur un nombre de plus en plus limité de possibilités. Avec toute la classe, l'enseignant examine quelles questions, d'abord générales puis de plus en plus précises, il convient de poser pour découvrir un animal (Il vit dans l'air ou dans l'eau ? Il a des poils, « cheveux », ou des plumes ? il est grand ou petit ? Il mange de la viande ou de l'herbe ? etc.), un objet (C'est dans la classe ou à l'extérieur ? C'est en bois ou en métal ?).

1 . 2 *Indication de l'activité*

La classe va se partager en deux groupes ; chaque groupe choisira un objet (chaise, livre, ...), un animal, une personne ou une personnalité que tous peuvent voir ou connaissent. Pour les objets, il devra s'agir d'un objet simple ; si on prend une bouteille de vin, le contenu est liquide, mais le contenant est solide, il faudra donc choisir soit l'un, soit l'autre pour pouvoir donner des réponses claires. Chaque groupe notera ce qu'il aura retenu sur un morceau de papier. Il s'agira ensuite, en posant des questions fermées portant sur deux éléments antinomiques, de découvrir les sujets choisis. Chaque groupe n'a que 10 questions pour trouver la solution, il faudra donc poser des questions très générales tout d'abord, puis de plus en plus spécifiques. Les questions devront se suivre à un rythme soutenu (20 s entre deux questions). Le groupe interrogé répondra par l'élément correct ou en disant : « Ni l'un ni l'autre ». Lorsqu'un groupe a posé ses 10 questions ou trouvé la solution, c'est à l'autre de poser ses questions. Après quelques échanges, on calculera le nombre d'échecs et de réussites, le nombre de questions nécessaires à chaque découverte, on examinera les questions qui ont permis ou qui auraient permis la découverte. Les groupes n'indiqueront qu'à ce moment-là les sujets qui n'auraient pas été trouvés.

1 . 3 *Rappel du déroulement*

– Choisir le sujet et désigner un secrétaire qui le notera et qui marquera les questions posées par son groupe (2 mn)
– Le groupe A pose ses questions au groupe B (maximum 10 questions et intervalle de 20 s au plus)
– Le groupe B pose ses questions
– Choix de nouveaux sujets, etc.
– Examen critique des échanges

2. Indication du déroulement

2 . 1 *Choix des sujets*

Les étudiants à l'intérieur des groupes se rapprochent les uns des autres et certains demandent des informations supplémentaires. « Il faut choisir une personne ? On peut prendre quelqu'un qui est mort ? » L'enseignant répète qu'ils peuvent choisir n'importe quoi sans se limiter aux personnes. Suit un moment de réflexion, puis les murmures se développent, des noms sont proposés, ils provoquent éclat de rire, refus ou emballement. Peu avant la fin du temps fixé, l'enseignant rappelle aux étudiants qu'ils doivent nommer un secrétaire du groupe qui notera le mot retenu. Dans le groupe A le mot noté est soumis à l'approbation de tous les membres du groupe ; le groupe B n'est pas encore arrivé à se mettre d'accord. Un étudiant relève un nom, mais quelques-uns estiment que c'est trop facile. L'enseignant indique qu'il faut commencer à poser des questions et un étudiant du groupe B dit au groupe A de commencer.

2 . 2 *Questions et réponses*

Les étudiants du groupe A posent rapidement les trois premières questions. « C'est une personne ou un objet ? Dans cette pièce ou dehors ? C'est un meuble ou un appareil ? » Puis ils se consultent, un porte-parole se dégage. Par la suite c'est lui qui en général posera les questions proposées par des membres du groupe. Après la question « On l'utilise ou on le regarde ? » le groupe B est indécis, certains veulent répondre « les deux » ; finalement le groupe opte pour « on le regarde ». Pour d'autres questions, ce sont en général plusieurs étudiants qui répondent ensemble. Après des séries de 2 à 3 questions, le groupe A récapitule, le secrétaire fonctionnant comme mémoire du groupe, et examine ce qui a été exclu, ce qui reste inclus, quelles sont les possibilités qui subsistent ; différentes questions sont proposées.

L'enseignant intervient de deux façons : pour la formulation des questions, le groupe A fait parfois appel à lui pour connaître l'élément antinomique (quel est le contraire de « solide » ? , de « ça peut bouger ? »). En outre, il rappelle de temps à autre que les 20 secondes sont écoulées, qu'il faut ajouter l'élément antinomique. Si la question est incompréhensible, il aide à la reformuler, mais il n'intervient pas par des corrections systématiques.

2 . 3 *Examen critique des échanges*

Cet examen a lieu après quatre séries de questions, chaque groupe a trouvé un sujet (les deux premiers, les deuxièmes sujets étant bien plus difficiles : une tablette de chocolat et la lune). Mais le score n'intéresse que modérément les étudiants.

L'enseignant leur demande quelles sont les questions qui ont permis de trouver les sujets. Les secrétaires qui ont noté la plupart des éléments antinomiques interviennent et répètent certaines questions posées. Un autre étudiant intervient : c'est la question « dans la classe ou dehors » et la couleur qui ont permis de trouver la lampe.

Le point qui intéresse le plus les étudiants dans cette phase, c'est de connaître les sujets qui n'ont pas été trouvés. L'enseignant invite les groupes à rechercher pourquoi ils n'ont pas trouvé. Il demande au groupe A : « Quelles questions avez-vous posées ? » (Le groupe reprend certaines questions), puis au groupe B qui détient la solution :
« Quelles questions doivent-ils poser pour trouver ? » On donne ainsi l'occasion au groupe B de mettre le groupe A sur la piste.

Les étudiants recherchent un sujet après l'autre, reprennent les questions, critiquent ou contestent certaines réponses en se référant, implicitement, à des notions de catégories, d'inclusion, d'exclusion.

3. Conclusion

L'enseignant demande à un étudiant de répéter la critique qu'il vient d'émettre : « Ils ont répondu que le chocolat fait partie des liquides et des solides ; mais il fait partie des solides ! Une tablette de chocolat n'est normalement pas liquide. » Différents étudiants citent des corps faisant partie de la catégorie des solides, ou de la catégorie des liquides.

18 *A la recherche des mots clés* (Exemple)

1. Organisation

1 . 1 *Présentation*

L'enseignant met en évidence que, lorsqu'on entend un énoncé, certains mots ou groupes de mots contiennent plus d'informations que d'autres ; dans une phrase, tous les mots n'ont pas la même importance. Pour comprendre un message, il suffit de saisir les mots clés.

Quand quelqu'un parle, on ne capte pas nécessairement tous les mots même si on les connaît tous. Le locuteur peut avaler certains termes, en déformer d'autres, rendre, par une mauvaise élocution, certains mots incompréhensibles et même inintelligibles ; pourtant, le message passe parce qu'il subsiste suffisamment d'éléments sur lesquels s'appuyer. Dans la phrase, « y avait pas de raison (. . .) s'inqu(.)éter, (. . .) faire des inquiétudes aussi gr (. . .) »

il y a de nombreux éléments obscurs ; certaines syllabes ne peuvent être perçues. La probabilité, le contexte, particulièrement « inquiétudes » permettent de reconnaître « s'inquiéter », ce qui n'est d'ailleurs pas nécessaire, car le sens « pas de raison d'inquiétude » peut difficilement échapper.

La compréhension de certains mots – les mots clés – donne le sens du message en dehors de tout contexte et sans que la situation soit connue. Dans l'information, « Au Proche-Orient, le risque d'un nouveau conflit est en train de s'estomper. Les duels d'artillerie ont cessé, le calme est revenu », il n'est pas nécessaire de connaître « s'estomper », de comprendre « duels d'artillerie ». L'auditeur qui a entendu « Proche-Orient, calme, revenu (les mots clés) a saisi l'information. Si on a retenu au départ, « Proche-Orient, risque de conflit », les mots qui suivent « cessé, calme, revenu » et l'absence de négation, contredisent la notion « risque de conflit », de sorte que le sens correct de l'information peut être rétabli. Il convient donc de considérer une information dans son ensemble avant de vouloir en donner une interprétation.

1 . 2 *Indication de l'activité et entraînement au relevé des mots clés*

L'enseignant indique aux étudiants qu'au cours de la séance, ils entendront des informations radiophoniques, ils essayeront de noter les mots clés, puis ils reproduiront oralement les informations, et cela nouvelle après nouvelle. Mais avant de passer à cette phase, il convient de s'habituer à suivre les informations et à repérer les mots clés.

L'enseignant diffuse alors quelques informations, les étudiants écoutent sans prendre de notes.

Puis, il leur fait entendre l'information suivante (information enregistrée, comme la suite du bulletin, le 2.XII.74 à 8 h sur Sottens et utilisée en classe le même jour) :

« Deux avions américains, deux Boeing 727, l'un appartenant à la TWA, l'autre à une compagnie charter se sont écrasés hier sur la côte Est des États-Unis. Dans le premier appareil, celui de la TWA, 93 personnes étaient à bord ; il n'y a aucun survivant. Quant à l'appareil charter, il était occupé par les trois membres d'équipage seulement. Son épave vient d'être retrouvée dans une zone boisée à 60 kilomètres de New York ». L'enseignant demande quels sont les mots les plus importants pour se faire une idée correcte de l'information diffusée.

Les étudiants indiquent les mots ; des échanges à haute voix ou en aparté se produisent entre les étudiants ; l'enseignant, sans se prononcer et sans chercher à élucider, écrit au tableau tous les termes que la classe a admis. Si celle-ci ne se met pas d'accord sur un élément, il ne le note pas ou l'écrit avec un point d'interrogation, selon la décision de la classe. Voilà les mots retenus : « États-Unis – 2 avions – Boeing 747 – explosés – 13, 93, 96 ? – morts – aucun survivant – l'autre ».

L'information est diffusée une seconde fois. L'enseignant demande aux étudiants de chercher à noter les mots les plus importants sans regarder au tableau, sans relever de phrases ou le début de phrases ; il ne s'agit pas non plus de faire de la sténo, mais d'arriver à noter tout en continuant à écouter pour pouvoir capter l'essentiel. A la fin de l'écoute, les étudiants complètent les notes, discutent entre eux, comparent ce qu'ils ont écrit. L'enseignant vérifie rapidement, sans déchiffrer mais d'un coup d'œil global, les notes de chaque étudiant. On constate que certains étudiants notent le début des phrases et n'arrivent plus à établir des liens ; d'autres écrivent des suites de mots qu'ils comprennent et accordent éventuellement de l'importance à ce qui est secondaire. L'enseignant fait des remarques individuelles aux étudiants.

Puis, ce qui est relevé au tableau est critiqué et complété. Un étudiant demande combien il y avait de personnes dans chaque avion. On établit qu'il s'agit de « 93 » personnes pour l'un et de « 3 membres d'équipage » pour l'autre, que « explosés » n'est pas mentionné. Un étudiant veut savoir quel est le mot utilisé. L'enseignant ne répond pas, mais repasse le passage et c'est de cette façon que « écrasé » est retenu. A la fin, l'enseignant demande s'il faut ajouter des mots et si on peut en supprimer certains, de sorte qu'on aboutit à ce qui suit : « États-Unis – 2 Boeing 747 – écrasés – le premier – 93 personnes – l'autre – 3 membres d'équipage – aucun survivant ».

L'enseignant fait remarquer aux étudiants qu'ils n'ont pas compris certains mots, mais que les mots clés retenus sont suffisants pour avoir une idée fidèle de l'information. Puis, il rappelle qu'on écoutera la suite du bulletin, nouvelle après nouvelle, et indique le déroulement pour chacune d'elles, l'essentiel du travail se faisant par groupe de deux.

1 . 3 *Indication du déroulement*

– Diffusion de la nouvelle et repérage mental des mots clés.
– Échange par groupe de deux. (1 mn)
– Deuxième diffusion et relevé des mots clés.
– Comparaison des mots par groupe de deux. (2 mn)
– Mise en commun. (1 mn à 3 mn)
– Reproduction. (1 mn à 3 mn)

2. Analyse du déroulement

2 . 1 *Diffusion de la nouvelle*

« Et puis, au Pakistan à Karachi, c'est un avion de la Swissair qui a dû différer son départ de deux heures ; un pirate de l'air, après avoir laissé descendre tous les passagers, voulait obliger l'avion à décoller. Le pirate, heureusement, a pu être capturé, l'arme qu'il brandissait n'était qu'un jouet d'enfant ».

On peut constater que l'effort d'attention des étudiants est plus intense que lors de la diffusion de la première information.

2 . 2 *Échanges par groupe de deux*

L'enseignant donne comme consigne d'énumérer d'abord, dans les groupes, les mots les plus importants avant de discuter de l'information en faisant des phrases, et de ne rien noter. Les étudiants donnent des mots comme par exemple : « avion, Swissair, passagers, désastre » donc certains mots clés, d'autres qui ne sont pas importants, d'autres qu'ils ont cru entendre ; mais très vite ils discutent et s'expliquent ce qu'ils ont compris. « Il s'agit d'un avion qui . . . », « C'est un homme qui . . . ». L'animation est très grande ; dès qu'elle baisse, l'enseignant, sans tarder, indique qu'on va passer à la deuxième diffusion et au relevé des mots clés.

2 . 3 *Deuxième diffusion et relevé des mots clés*

Pendant la diffusion, la plupart des étudiants prennent des notes. Dans quelques groupes, c'est un seul étudiant qui le fait ; l'étudiant qui n'a pas noté donne des indications. Quelques exemples de notes : « C'est un avion de la Swissair, deux heures, enfant », « avion, pirate, décoller, heureusement, jouet », « Pakistan, pirate de l'air, capturé ».

2 . 4 *Comparaison des notes par groupe de deux*

Tout en complétant les notes, les étudiants discutent entre eux, comparent et passent d'instinct à la reproduction de la nouvelle. Les interprétations diffèrent souvent. Ainsi, dans un groupe, un étudiant a persuadé son voisin qu'un homme a attaqué un avion de la Swissair et l'a pris avec tous les passagers. L'enseignant passe d'un groupe à l'autre, refuse d'arbitrer, demande que chaque groupe mette au point sa liste de mots clés. Les discussions sont très animées ; lorsqu'elles s'apaisent, on passe à la phase suivante.

2.5 *Mise en commun*

Un groupe indique à la classe tous les mots clés qu'il a notés. On les discute, on élimine ceux que la classe juge faux, inutiles ou superflus. « Pakistan » est écarté au profit de « Karachi ». Un étudiant : « Si on a Karachi, on sait que c'est au Pakistan ». L'enseignant l'écrit au tableau. Puis, plusieurs étudiants veulent qu'on ajoute « jouet » mais aucun ne propose « brandir » (mot qu'ils ne connaissent pas). On complète. Puis, l'enseignant demande si on ne peut pas en supprimer. Un groupe propose qu'on ne laisse que « Karachi, pirate de l'air, capturé » parce que « c'est assez clair », mais d'autres groupes ne sont pas d'accord. On discute également l'ordre dans lequel il convient de marquer les mots clés. Un étudiant fait admettre l'enchaînement : « Karachi, pirate de l'air, voulait, décoller, avion Swissair, capturé, jouet ». Cette phase traîne un peu en longueur parce que, parmi les mots proposés, on a de la peine à déterminer ceux qu'il faut conserver.

2.6 *Reproduction*

L'enseignant désigne un groupe pour qu'il reproduise la nouvelle en introduisant les mots clés dans une phrase. Un étudiant : « A Karachi, un pirate de l'air a capturé un avion ». L'enseignant à la classe : « D'accord ? » Un autre étudiant : « Il n'a pas capturé, il a été capturé ». L'enseignant demande qu'on reprenne les mots dans l'ordre. Un étudiant : « A Karachi, un pirate de l'air voulait décoller un avion de Swissair, il a été capturé, il avait un jouet ». Après correction et modification, on arrive à l'énoncé : « A Karachi, un pirate de l'air, avec un jouet, voulait faire décoller un avion de la Swissair, il a été capturé ». Deux étudiants répètent cet énoncé puis on diffuse la nouvelle suivante.

2.7 *Diffusion de la nouvelle*

« Pétrole : Les pays membres de l'OPAEP, l'Organisation des pays arabes exportateurs de pétrole, ont fondé une compagnie arabe pour les investissements pétroliers. En fait, cette société dont le capital se monte à 1 milliard de dollars, accordera des prêts aux pays de l'Organisation, puis à d'autres pays arabes et au Tiers-Monde afin de favoriser le développement de l'industrie des hydrocarbures ».

Cette information est traitée comme la précédente, selon le déroulement décrit plus haut. Il est à noter que le rythme de la progression s'accélère au fur et à mesure que les étudiants s'habituent à la voix de l'annonceur et à la technique.

3. Conclusion

Après avoir vu cinq, six nouvelles, l'enseignant demande à des groupes chaque fois différents de reprendre dans l'ordre les informations. Des étudiants redonnent librement la nouvelle, à raison d'une ou de deux phrases.

Pour finir, on retransmet l'original, ce qui procure une satisfaction évidente à la classe qui avait, au départ, beaucoup de peine à comprendre et qui arrive maintenant à suivre le bulletin d'informations.

34 *a) Proposer - b) Convaincre* (Exemple)

1. Organisation

1 . 1 *Présentation*

En début de séance, l'enseignant signale que chacun est amené à faire des propositions. Nous soumettons à ceux qui nous entourent des idées, nous offrons des services, nous demandons ou exigeons des changements, des modifications, des transformations, des améliorations. Souvent nos suggestions ne sont pas entendues, elles ne sont pas prises en considération, personne ne les relève, parce que ce que nous proposons n'est pas énoncé de façon claire et nette et surtout parce que nos propositions ne sont pas accompagnées des arguments qui en montrent l'importance et l'intérêt.

En outre, quand nous justifions une proposition, nous utilisons des arguments rationnels, logiques et des moyens sentimentaux et affectifs. Si à huit heures du soir quand il s'agit de choisir le film de la soirée, je propose à des amis d'aller dans le cinéma d'à côté et non à l'autre bout de la ville, je fais valoir que le film est plus intéressant, présente un problème plus actuel, je fais appel à des arguments rationnels ; mais je peux aussi ajouter que je n'irai pas à l'autre bout de la ville, que je rentrerai, je fais intervenir des aspects affectifs qui seront peut-être déterminants. Or ces moyens sentimentaux, nous les utilisons en permanence, souvent inconsciemment.

L'enseignant indique un certain nombre de moyens affectifs :
– Allez, viens avec moi !
– Remets ce livre à la bibliothèque ; la prochaine fois je le ferai pour toi !
– Si tu ne le fais pas, je m'en souviendrai ! (menace)
– Sois gentil !
– Tu es un parasite, un exploiteur, tu veux toujours profiter des autres sans jamais apporter de contrepartie.

1 . 2 *Indication de l'activité*

Au cours de la séance, des groupes chercheront des propositions qu'ils présenteront ensuite à la classe ou à l'enseignant. Ces propositions devront avoir un rapport avec la vie, le milieu ou les activités du groupe. Il ne s'agit pas d'émettre des idées pour lutter contre la pollution, résoudre tel ou tel problème général, améliorer les conditions d'existence dans les villes, . . . ; mais il s'agit de soumettre un projet précis, d'adresser une demande concrète à la classe ou au professeur, par exemple, changer de matériel d'enseignement, acheter un transistor, supprimer les devoirs à la maison, etc.

Pendant une phase d'échanges et de discussion libre, chaque groupe déterminera et retiendra la proposition qu'il compte présenter ; puis toujours de la même façon il cherchera les arguments et les moyens affectifs pour appuyer et faire accepter sa proposition.

1 . 3 *Indication du déroulement*

– Formation de groupes de 3 à 5 étudiants (selon les affinités)
– recherche d'une proposition (10 mn maximum)
– recherche d'arguments et de moyens sentimentaux (il serait bon de noter ce qui aura été retenu (15 mn environ),
– présentation de la proposition, de 4 arguments et de 2 moyens sentimentaux

2. Analyse du déroulement

2 . 1 *Recherche des propositions*

– Les groupes se forment en général entre voisins autour de différentes tables ; cela entraîne des déplacements de chaises et provoque du bruit. Pendant ce temps, et après, se produisent des échanges en rapport avec la formation des groupes, du type « Je viens chez vous ? », « On se met ensemble ? », mais aussi des apartés de toutes sortes.

– Le démarrage est variable selon les groupes ; au bout de quelques minutes l'animation est partout évidente, certains étudiants élèvent la voix pour couvrir celle des autres ; cela ne gêne en rien le travail.

– L'enseignant circule dans la classe, passe d'un groupe à l'autre, écoute et n'intervient que si on lui pose une question. Ainsi un étudiant du groupe I lui demande : « On peut faire la proposition : fermer tous les cinémas qui coûtent plus de 9 francs ? » Enseignant : « Cherchez une proposition à faire à la classe ou au professeur. » Certains étudiants sollicitent l'enseignant pour des renseignements d'ordre lexical. « Comment est-ce qu'on appelle l'eau qui n'est pas gazeuse ? » L'enseignant indique le terme et se tait. Il ne participe pas aux discussions.

– Le groupe III a de la peine à trouver une proposition qui convient à tous ses membres. Plusieurs propositions sont avancées, mais toutes sont rejetées. Dans le groupe IV, Gaby lance l'idée de ne plus utiliser le magnétophone, et une discussion très animée s'engage, centrée sur la classe ; Gaby défend son point de vue, dit : « ça ne sert à rien ». D'autres étudiants lui expliquent que c'est important. Finalement la proposition sera écartée. Dans le groupe II, un leader impose sa proposition, répartit les tâches et demande à un camarade de « faire le secrétaire ».

– La recherche des propositions est une phase très animée, très vivante ; les étudiants s'emballent, s'enthousiasment ; dès que la proposition est retenue, la fièvre tombe ; l'excitation fait place à la réflexion et à des échanges plus posés.

– Au bout de dix minutes, l'enseignant demande aux différents groupes de noter leur proposition et de se concentrer sur la recherche d'arguments.

2 . 2 *Recherche des arguments et des moyens affectifs*

– Quand les étudiants font des propositions, pour les faire accepter, ils donnent des arguments de sorte qu'ils passent d'une phase à l'autre. Ainsi dans le groupe I John propose : « La classe achète une machine à faire du café, ce qui sera moins cher » (proposition + un argument). Pendant qu'il développe son idée, il s'enthousiasme : « Mm . . . (sa mimique indique qu'il hume l'arôme d'un bon café) on aura du bon café ! Et puis on n'aura plus besoin de faire la queue devant l'automate. On pourrait même en vendre aux autres. » On rit. « Moi, je ne bois pas de café ! » réplique quelqu'un. « Ça ne fait rien, tu pourras en vendre ! » La proposition et une série d'arguments ont été énoncés, mais le groupe n'a pas pu les retenir tous. Pour soutenir la proposition, le groupe a dû reprendre les éléments déjà indiqués, rechercher d'autres arguments, les peser, les évaluer, les discuter.

– La plupart des groupes ont de la peine à trouver des moyens sentimentaux. Ainsi le groupe III fait appel à l'enseignant parce qu'il « ne voit pas ce qu'on peut mettre ». Ce dernier rappelle les moyens indiqués en début de séance.

– Dès qu'il se rend compte que les échanges traînent, il demande aux différents groupes combien il leur faut encore de minutes pour reprendre leurs arguments. Groupe IV : « On n'a encore rien noté ! » « Dépêchez-vous, reprenez brièvement ce que vous avez dit ; dans deux minutes, on passe à la présentation. »

2 . 3 *Présentation des propositions*

– Chaque groupe présente sa proposition et les arguments. L'enseignant demande de ne pas se contenter de lire les notes, rédigées en style télégraphique, mais de les développer.

– John du groupe I fait la proposition à la classe d'acheter une machine à café électrique et à tour de rôle les membres du groupe, en se relayant, énumèrent les avantages : « On aura tout le temps du bon café », « on économisera de l'argent parce que la tasse de café ne coûtera que 10 centimes », « vous n'aurez plus besoin d'aller boire de l'eau aux toilettes », « ou de vous faire bousculer devant l'automate pour avoir de l'eau brune » (phrase corrigée). John a ajouté : « Si vous n'êtes pas d'accord, vous n'aurez pas de café. Quand nous aurons payé la machine, nous achèterons de jolies tasses ! Ce sont les moyens sentimentaux ! » (Ces énoncés ont été produits après deux corrections et deux demandes de répétition de l'enseignant.) Les étudiants n'ont pas interrompu, ils paraissaient impressionnés par la conviction et l'assurance du groupe.

– Un étudiant du groupe II a demandé que tous décorent la salle de classe et il a justifié sa proposition. Un étudiant lui a demandé des précisions, entre autres : « Qu'est-ce que tu veux mettre ? Des rideaux ? » Il y eut une discussion animée entre la classe et deux étudiants du groupe II.

– Sally du groupe IV expose sa proposition, les étudiants du groupe rient (proposition : plus de devoirs).

– Les étudiants du groupe III ont lu ce qu'ils avaient noté. Personne n'était attentif de sorte qu'on peut conclure en disant que, si les notes ne sont pas lues, cette phase donne lieu à des échanges intéressants entre étudiants et est marquée par une très forte écoute.

3. Discussion finale

L'enseignant demande aux différents groupes de rappeler leur proposition. « Qu'en pensez-vous ? »

Un étudiant fait la critique d'une proposition à peu près dans ces termes : « La proposition était pertinente, mais la façon dont elle a été présentée permettait de voir que le groupe n'y croyait pas. » Un autre : « Pendant que Sally parlait, les autres riaient ; ils ont cherché à provoquer, mais ils n'avaient pas les arguments pour convaincre. » « Ils ne croyaient pas à leur proposition et on le remarquait. » Sally : « Mais, c'est sérieux ! » « Dès les premiers mots on sentait que ce n'était pas sérieux ! »

Finalement c'est la proposition du groupe I qui est retenue, parce que les étudiants ont trouvé les arguments qui touchent, ils les ont exposés carrément, « ils paraissaient sûrs ! ».

Pour finir l'enseignant relève l'importance de la façon de présenter les arguments, le rôle du ton et de l'attitude pendant qu'on fait une proposition.

Index

Les chiffres se rapportent aux numéros des activités

Fonctions de communication

- Approuver une idée : 11, 27, 28, 31, 32, 40
- Approuver une opinion : 11, 24, 25, 26, 27, 28, 29, 30, 31, 32, 40
- Approuver un sentiment : 11, 29, 30, 31, 32, 40
- Confirmer un événement : 16, 18, 19, 20, 21, 22, 23
- Confirmer une expérience : 16, 21, 23, 25,
- Confirmer un fait : 16, 18, 19, 20, 21, 22, 23, 25, 26, 32
- Demander une chose : 1, 2, 3, 9, 11, 13, 38
- Demander une information : 1, 2, 3, 4, 5, 6, 7, 8, 9, 10, 11, 13, 38
- Demander un service : 1, 2, 3, 9, 11, 13, 34, 38
- Démentir un événement : 23
- Démentir une expérience : 23, 25
- Démentir un fait : 23, 25, 26
- Désapprouver une idée : 11, 27, 28, 31, 32, 35, 36, 37, 40
- Désapprouver une opinion : 11, 24, 25, 26, 27, 28, 29, 30, 31, 32, 35, 36, 37, 40
- Désapprouver un sentiment : 11, 29, 30, 31, 32, 35, 36, 37, 40
- Établir un contact social : 11, 12, 13, 14, 15, 38
- Exprimer une idée : 11, 27, 28, 31, 32, 34, 35, 36, 37, 40
- Exprimer une opinion : 11, 24, 25, 26, 27, 28, 29, 30, 31, 32, 33, 34, 35, 36, 37, 40
- Exprimer un sentiment : 11, 29, 30, 31, 32, 34, 35, 36, 37, 38, 39, 40
- Maintenir un contact social : 11, 12, 13, 14
- Offrir une chose : 1, 2, 9, 13, 38
- Offrir une information : 1, 2, 3, 4, 5, 6, 7, 8, 9, 10, 13, 38
- Offrir un service : 1, 2, 9, 13, 38
- Refuser une chose : 1, 2, 9, 13, 38
- Refuser une information : 1, 2, 4, 5, 6, 7, 8, 9, 10, 13, 38
- Refuser un service : 1, 2, 9, 13, 38
- Relater un événement : 16, 17, 18, 19, 20, 21, 22, 23, 39
- Relater une expérience : 16, 17, 21, 23, 25, 39
- Relater un fait : 16, 17, 18, 19, 20, 21, 22, 23, 25, 26, 32, 39
- Rompre un contact social : 11, 12, 13, 14, 15, 38

Réseaux de communication

- 1 apprenant – 1 apprenant : 1, 2, 3, 5, 13, 18, 20, 21, 24, 27, 30, 47, 50
- 1 apprenant – classe : 6, 8, 17, 20, 27, 29
- 1 apprenant – enseignant : 3, 4, 5, 10, 11
- 2 apprenants – classe : 1, 2, 12, 15, 24, 27
- Groupes : 10, 11, 14, 15, 16, 17, 22, 23, 25, 26, 29, 31, 32, 33, 34, 35, 36, 37, 38, 39, 40, 42, 43, 44, 45, 46, 48, 49
- Groupe – classe : 8, 9, 12, 16, 25, 26, 34, 43, 44, 45, 46, 48, 49
- Groupe – enseignant : 11, 34
- Groupe – groupe : 7, 19

Supports de communication

- Article de presse : 9, 10, 18, 20, 21, 22, 27
- Bande dessinée : 41, 43, 44, 45, 46
- Bulletin d'information : 18, 41
- Débat contradictoire : 31, 32
- Dialogue : 14, 42, 43, 44, 45, 46, 47
- Diapositives : 5, 19, 30, 41, 43, 44, 45, 46
- Enregistreur : 14, 18, 27, 29, 42, 43, 44, 45, 46, 47

- Exposé : 28
- Film : 5, 43, 44, 45, 46
- Film fixe : 41, 43, 44, 45, 46
- Magnétoscope : 14, 43, 44, 45, 46, 47
- Mode d'emploi : 8
- Photographie : 5, 19, 30, 41, 43, 44, 45, 46
- Publicité : 27
- Radio : 14, 18, 27, 42, 43, 44, 45, 46
- Reportage : 9, 10
- Télévision : 14, 27, 43, 44, 45, 46

Bibliographie

Allen E.D., Valette R.M. – *Modern Language Classroom Techniques. A Handbook*, New York, Harcourt, Brace & Jovanovich, 1972

Aupècle R. – *Les exercices de compréhension et d'expression orales au niveau 2*. In : Nataf R. (éd.) – *Le niveau 2 dans l'enseignement du français langue étrangère*, Le Français dans le Monde, N° 73, juin 1970

Ball R. – *Pédagogie de la communication*, Paris, Presses Universitaires de France, Coll. SUP, 1971

Benamou M., Ionesco E. – *Mise en train*. Première année de français, London, Collier & MacMillan, 1969

Benamou M., Carduner J. – *Le moulin à paroles*, New York, Blaisdell Publishing Company, 1963 (Nouvelle édition entièrement revue et transformée : Paris, Hachette, 1974)

Bresson F. – *Acquisition et apprentissage des langues vivantes* In : Wagner E. (éd.) – *Apprentissage du français langue étrangère*, Langue Française, N° 8, décembre 1970

Burney P., Damoiseau R. – *La classe de conversation*, Paris, Hachette/Larousse, Coll. Le Français dans le Monde, 1969

Capelle G. (éd.) – *Vers l'an 2000*, Le Français dans le Monde, N° 100, octobre-novembre 1973

Capelle, J. et G. – *La France en direct*, Fichier d'utilisation 1 et 2, Paris, Hachette, 1969, 1970

Chapuis O. – *A publics nouveaux, situations pédagogiques nouvelles* In : Capelle G. (éd.) – *Vers l'an 2000*, Le Français dans le Monde, N° 100, octobre-novembre 1973

Corder S.P. – *Introducing Applied Linguistics* Harmondsworth, Penguin Books, Penguin Modern Linguistics Texts, 1973

Coste D. – *Le renouvellement méthodologique dans l'enseignement du français langue étrangère : remarques sur les années 1955-1970* In : Wagner E. (éd.) – *Apprentissage du français langue étrangère*, Langue Française, N° 8, décembre 1970

CREDIF – *Leçons de transition* 2e partie. Introduction générale et 10 fascicules. Livre du maître, Paris, Didier, 1970

Dascotte R., Obadia M. – *Avec les mots de tous les jours*. Dialogue grammatical. Conseils pédagogiques. Paris, Hachette, 1971

Debyser F. – *La mort du manuel et le déclin de l'illusion méthodologique* In : Le Français dans le Monde, N° 70, janvier-février 1970

Debyser F., – *Pour mieux faire des classes de conversation*, in : Le Français dans le Monde, N° 70, janvier-février 1970

De Landsheere G. – *Comment les maîtres enseignent. Analyse des interactions verbales en classe*. Bruxelles, Ministère de l'Éducation nationale et de la Culture, Documentation 21, 1969

Doughty P., Pearce J., Thornton G. – *Language in Use*, London, Edward Arnold, 1971

Fishman J.A. – *Sociolinguistique*, Paris, Bruxelles, Nathan, Labor, Coll. Langues et Culture, 1971

Hester R. (éd.) – *Teaching a Living Language*, New York, Harper & Row, 1970

Jakobovits L.A. – *Foreign Language Learning : A Psycholinguistic Analysis of the Issue*, Rowley, Newbury House, 1970

Lyons J. – *Linguistique générale. Introduction à la linguistique théorique*, Paris, Larousse, 1970

Mackey W.F. – *Principes de didactique analytique*, Paris, Didier, 1972

McLuhan M. – *Mutations 1990*, Paris, Mame, 1969

Moget M.T. – *De vive voix*. Guide pédagogique, Paris, Didier/CREDIF, 1972

Nataf R. – *Le niveau 2 dans l'enseignement du français langue étrangère*, Le Français dans le Monde, N° 73, juin 1970

Oller J.W., Richards J. (eds) – *Focus on the Learner. Pragmatic Perspectives for the Language Teacher*, Rowley, Newbury House, 1973

Peytard J., Genouvrier E. – *Linguistique et enseignement du français*, Paris, Larousse, 1970

Renard C., Heinle C.H. – *Implementing Voix et Images de France* Part I in American Schools and Colleges, New York, Chilton Books, 1969

Richterich R., Stott A.M.J., Dalgalian G., Willeke O. – *Handbuch für einen aktiven Sprachunterricht*, Heidelberg, Julius Groos, 1969

Richterich R. – *Modèle pour la définition des besoins langagiers des adultes* In : *Systèmes d'apprentissage des langues vivantes par les adultes*, Strasbourg, Conseil de la Coopération Culturelle du Conseil de l'Europe, 1973

Roulet E. – *Théories grammaticales. Description et enseignement des langues*, Paris, Bruxelles, Nathan, Labor, Coll. Langues et Culture, 1972

Savignon S.J. – *Communicative Competence : An Experiment in Foreign Language Teaching*, Philadelphia, The Center for Curriculum Development, Language and the Teacher : A Series in Applied Linguistics 12, 1972

Systèmes d'apprentissage des langues vivantes par les adultes, Strasbourg, Conseil de la Coopération Culturelle du Conseil de l'Europe, 1973

Valette R.M., Disick R.S. – *Modern Language Performance Objectives and Individualization. A Handbook*, New York, Harcourt, Brace & Jovanovich, 1972

Van Passel F. – *L'enseignement des langues aux adultes*, Paris, Bruxelles, Nathan, Labor, Coll. Langues et Culture, 1970

Wagner E. (éd.) – *Apprentissage du français langue étrangère*, Langue Française, N° 8, décembre 1970

Wilkins D.A. – *Contenu linguistique et situationnel du tronc commun d'un système d'unités capitalisables* In : *Systèmes d'apprentissage des langues vivantes par les adultes*, Strasbourg, Conseil de la Coopération Culturelle du Conseil de l'Europe, 1973

Imprimé en France par
BRODARD GRAPHIQUE — Coulommiers-Paris
10/2163/2
Dépôt légal n° 5841, 2-1978

Collection n° 21
Édition n° 02

15/4261/2

I.S.B.N. - 2.01.002751.5